보름달의 불행

보름달의 불행

발 행 | 2024년 02월 05일
저 자 | 황지혜
펴낸이 | 한건희
펴낸곳 | 주식회사 부크크
출판사등록 | 2014.07.15(제2014-16호)
주 소 | 서울특별시 금천구 가산디지털1로 119 SK트윈타워 A동 305호
전 화 | 1670-8316
이메일 | info@bookk.co.kr

ISBN | 979-11-410-7035-9

보름달의 불행

황지혜 지음

CONTENT

같은 시간, 같은 공간 속 행복과 불행이 공존하는 세상. 어두운 방 안에서 빠져나오지 못하는 불행과 푸른 하늘 아래에 펼쳐진 행복. 이 두 가지 감정이 섞이면 결국에는 어떤 색깔이 빛을 낼까.

그날에 우리는 서로를 사랑해서, 서로의 행복을 빌어서 이토록 어두운 불행이 찾아온 것일까.

마지막 너의 말에 느낀 내 감정은 또다시 시작될 불행에 대한 두려움일까, 너와 함께한 행복에 대한 그리움일까.

혹여나 난 그 불행을 겪는다 해도 널 사랑하고 싶다.

"제 옆에 있는 남자가 꼭 행보하도록 해주세요"

제1화 불행

 지이잉. 계속되는 핸드폰 진동 소리에 뒤적거리다가 핸드폰을 내 눈앞에 가져다 놓았다. 그러자 보이는 친구들의 부재중 통화와 각종 채팅 문자. 대충 택시를 잡았다는 어설픈 거짓말을 한 채 얼른 준비하여 어제 미리 골라두었던 옷을 입었다. 미리 옷을 골라둔 덕에 나갈 준비를 조금 더 빠르게 할 수 있었다. 그래도 파티엔 늦게 참석했지만.
 지하에 있는 파티룸을 빌려 다섯 명 정도 되는 친구들과 함께 내 취향인 느끼한 페퍼로니 피자와 고구마무스 속에 숨겨진 빨간 매운 떡볶이 그리고 이 느끼함과 매콤함을 잡아줄 시원하고 톡 쏘는 콜라까지 준비하였다. 친구들과 파티룸에 있는 각각 다른 새하얀 드레스를 빌려서 입고 찍은 사진도 SNS에 올렸다. 그래도 생일이라고 평소 연락도 안 하던 지인들이 생일 축하해주었기에 생일인 게 실감이 된다. 친구들도 내 생일 파티를 즐기는 거 같아서 흐뭇하게 바라보던 중 어느 한 친구가 파티룸에 있는 마이크를 집어 들고 생일 축하 노래를 부르기 시작했다. 그러자 너도나도 할 것 없이 다들 내 생일을 축하해 주었다. 정말 행복했다.

 -기사님 여기로 가주세요.
 기가 빨린 상태이지만 어쩐지 스마트폰에 비치는 내 얼굴은 환하다. 택시 창문을 살짝 연 채 시원한 바람을 느끼며 오늘 찍은 사진들을 보고 정리하고 있었다. 그리고 집 가서 야식으로 먹을 치킨까지 시켰다.

-감사합니다. 조심히 가세요.

어느새 택시는 멈췄고 눈앞에 내 집이 보인다. 막상 집이 바로 앞에 있으니, 피곤이 몰려와서 금방이라도 쓰러질 거 같다.

그렇게 집으로 터벅터벅 한 계단씩 올랐다. 엘리베이터가 없는 작은 빌라라서 계단을 오르는 것도 일이다. 도어록을 열고 집에 들어서자마자 씻으니 아까 몰려왔던 피곤함은 온데간데없고 그저 허기짐이 날 부른다. 택시에서 시킨 치킨이 오기도 전에 간단히 먹을 것이 없나 싶어서 둘러보다가 텅텅 빈 냉장고와 주방 서랍을 발견하고는 급히 검은 모자와 검은 샌들을 신고 초라한 복장으로 3분 거리에 편의점으로 갔다.

그래도 오늘 생일이라고 편의점에서 먹고 싶은 걸 잔뜩 사도 아깝다는 생각이 들지 않았다. 매운 핫바, 매운 라면 그리고 후식으로 먹을 푹신한 빵들도 몇 개 골랐다. 분명 간단하게 먹으려고 했지만 뭐 어찌하겠나. 이게 바로 행복이지. 난 미리 핫바를 까먹으며 들뜬 마음으로 집으로 갔다.

내 집이 있는 빌라 앞에 도착하니 불이 꺼진 내 방 그리고 그 옆에 창문에서 보이는 하얀 커튼과 방안 전등 때문에 비치는 사람 형체. 그냥 사람이 아닌 목을 매려는 사람의 형체가 보였다. 난 머릿속에서 생각 정리도 안 된 채 놀란 마음에 '아!'라고 비명 하나 못 지르고 몸부터 움직이며 황급히 뛰었다. 체감상 30초도 안 걸린 채 계단을 뛰어올라 도착했다. 그렇게 내 앞에는 자살하려던 사람의 집. 그러니까 내 옆집 앞에 도착했다.

-저기요! 문 좀 열어봐요. 저기요!

끼익. 그렇게 고래고래 소리를 지르자, 짜증 나는 표정을 한 남성이 문을 열었다.

-누구세요.

굵직한 그 사람의 누구세요 라는 말과 얼굴을 보자 살았다 싶은 안도감이 몰려왔다. 그 안도감을 느낀 지 얼마 안 가서 그 사람 얼굴에는 미간을 한껏 찌푸린 표정과 텅텅 비어있는 집 안 풍경이 눈에 들어왔다. 마르고 생기 없는 얼굴과 덥수룩한 검은 머리. 핏기 하나 돌지 않는 듯한 새하얀 얼굴. 저승사자 같았다. 힐끔거리며 그 사람의 집 안을 보니 배달 음식 포장지가 쌓여있었고 정리 정돈 할 것도 없이 그저 텅텅 비었다. 그 속에 문 열린 방을 보니 역시나 의자에 올라가 목을 매려고 한 것이었다. 내가 창문을 통해 본 것은 의자에 올라가서 목을 매려고 하는 모습이었을 거다. 나에게 그의 첫인상은 자살하려고 했던 불행한 사람, 즉 불행한 그였다.

-어, 저 오늘 제 생일인데 축하 좀 해주실래요?

-네?

살리고 싶다는 마음만으로 찾아온 거라 할 말이 없는 상황에서 유일하게 떠오른 말이 생일 축하를 해달라는 거라니. 자기 죽음을 방해한 것을 모자라서 그 이유가 생일 축하라는 것. 불행한 그의 입장을 생각해 보니 내 자신도 내가 싫어진다.

-그러니까 제가 생일이거든요. 근데 제가 생일 축하를 많이 못 받아서요. 축하 좀 해주세요.

라고, 다급하게 말하니.

-장난하세요?

라는 낮은 목소리의 묵직한 말투가 돌아왔다. 금방이라도 이 문을 닫을 거 같아 급히 다시 말을 꺼내려 하던 찰나에, 끼익. 또다시 들리는 문소리. 역시나 불행한 그가 문을 닫으려고 하는 것이었다. 난 황급히 손잡이를 잡으며 외쳤다.

-잠시만 문 닫지 마세요!

문을 닫으려 했던 불행한 그가 행동을 멈추고 한숨을 쉬며 말했다.

-...하. 아직 할 말이 더 남았나요?

어쩌지. 누가 봐도 짜증 난 얼굴에다 한시라도 빨리 문을 닫으려고 문고리를 꽉 잡은 큰 손이 보였다. 그리고 그 손목에는 자해 자국까지도 보였다. 그냥 보내기엔 너무 불안했기에 무슨 이유라도 대서 붙잡았다.

-우리 집에서 케이크 좀 먹고 가세요!

-뭐라고요?

당황과 짜증 그 사이에 목소리. 그 뒤에 옅은 한숨까지. 그런 불행한 그의 행동은 날 더 긴장하게 했다.

-저 그러니깐 제가 아직 케이크를 안 먹었는데요. 혼자서 케이크 먹기엔 너무 외로워서....

라며 마음속으로 나 자신을 이런 미친 계집애라고 생각하고 있었다.

-하. 케이크만 먹어드리면 되죠?

이게 웬걸! 불행한 그의 옅은 목소리. 똑똑히 들었다. 불행한 그가 승낙한 이유는 잘 모르겠지만 됐다! 된 거다.

-어.... 저 말고는 아무도 없어요. 편하게 들어오세요.

말은 그렇게 하지만 몸은 아침에 나갈 준비를 한다고 벗어 놓은 널브러져 있는 옷들을 세탁 바구니에 마구 넣고 있었다.

-하얀 테이블 보이시죠? 거기에 잠깐 앉아계실래요?

라며 현관에 멀뚱히 서 있는 불행한 그에게 말했다. 대답 없이 내 말을 따라 움직이는 것을 보다 황급히 화장실에 들어가 세면대를 붙잡고는 자살하려고 한 것을 후회하게 해주자고 다짐했다. 황급히 짐들을 치운 뒤 방에 있는 책상 의자를 갖고 와서 말했다.

-이 의자에 앉으실래요? 제가 공부한다고 거금 들여서 산 의자라 푹신푹신해요.

라고, 살짝 미소를 머금고 그의 대답을 기다리자 불행한 그는

-아뇨, 괜찮습니다.

라고, 아주 단호하게 답했다. 거절당했다는 것에 무안하고 서운한 감정이 들었지만, 이 정도 거절은 예의상으로 한 거일 테니 괜히 서운해하지 말자고 생각했다. 그렇게 친구가 사준 케이크 포장지를 열어보니 '지현 공주 탄생일'이라고 적힌 케이크를 볼 수 있었다. 그렇다. 저 지현은 내 이름이었다.

-어....제가 적은 건 아니고요. 친구가 적은 거예요.

누가 봐도 어색하게 복식으로 웃으며 이걸 해명하고 있다니. 민망함에 재빨리 싱크대로 가서 포크 두 개를 챙겨왔다.

-이 분홍색은 제 거고 은색 포크 쓰시면 돼요.

그렇게 은색 빛만 도는 포크를 쥔 불행한 그는 포크로 케이크 걸 부분만 긁은 채 말을 꺼내지도 케이크를 먹지도 않았다.

-제가 막무가내로 굴어서 당황스러우셨죠? 죄송해요.

내가 불편한가 싶어 말을 꺼내자 불행한 그는.

-아뇨.

라고, 짧게 대답했다. 이 어색함을 어떻게 깨야 할까.

-혹시 밥 드셨어요? 배달 음식이라도 시킬까요?

라는 내 물음에.

-괜찮아요.

라고, 거절만 하는 모습을 보며 점점 더 내가 괜한 짓을 했나라는 생각이 들 때쯤 모르는 전화번호로 전화가 왔다. 그러자 택시에서 치킨을 시키던 내 모습이 기억났다. 배달원의 전화였기 때문이다.

-아 그. 제가 미리 시켰거든요....

그러자 '아' 하고 짧은 한 마디를 내뱉는 그의 모습을 오랫동안 지켜보기에 무안해서 재빨리 치킨을 가지고 왔다.

-제가 이 브랜드 치킨 소스를 진짜 좋아해요. 같이 드실래요?

-....

불행한 그의 입은 굳게 다물어 있었고 이 정적을 빨리 풀려고 맥주도

제안했지만 결국 나만 마셨다.

 그래도 역시 맥주는 맥주인가 그 뒤로 어색했던 기억은 없다. 아니! 그냥 기억이 날아갔다. 눈을 떠보니 난 그 테이블에 엎드려 자고 있었고 오후 1시쯤 느낄 수 있는 따사로운 햇볕을 쬐고 있었다. 혹시나 실수한 것이 아닌지 기억을 떠올리려고 했지만, 기억이 도무지 나지 않았다.
 지인들이 말하는 내 술주정은 갑자기 혼자서 운다던가, 너무 조용해 봐보니 자고 있는다던가, 많이 취한 날엔 상대방이 누군지 신경도 쓰지 않고 안긴다던가.... 내가 봐도 별로인 행동들뿐이었다. 인제야 차근차근 생각나는 어제의 나. 처음 대화해 본 남자를 집에 들이는 것도 모자라서 술까지 제안하다니 이 험난한 세상 속에서 참 위험한 짓도 했다. 얼른 정신을 차리고 일상을 시작하려고 핸드폰 시계를 확인했다.
 -잠만, 1시? 내 출근은?!
 하며 시간 밑에 쓰인 요일을 보니 일요일이었다. 오늘을 월요일로 착각한 것이다. 그 사실을 깨닫자마자 알만한 사람들은 다 안다는 출근을 안 해도 된다는 희열감을 느꼈다. 기뻐할 틈도 없이 어제의 술 때문인가 점점 속이 아파져 온다. 해장하려고 배달 앱을 켰지만 딱히 마음에 드는 음식이 없어 편의점에서 컵라면을 사러 가려고 옷을 주섬주섬 입었다.
 -어서 오세요.
 라는 직원의 말에 살짝 고개를 숙인 채 라면 판매대로 향했다.
 -흠, 얼큰하고 매콤한 그런 라면 없나?
 라고, 작게 읊조리며 라면들을 둘러보던 중 옆에 시선이 느껴져 고개를 돌려 보니 불행한 그가 있었다. 불행한 그는 잠시 당황한 듯한 얼굴로 멈추더니 날 본체만체 하고는 카운터로 갔다. 저 사람은 무엇을 사러 왔을까. 설마 하는 걱정이 들어 불행한 그의 손에 쥐어져 있는 걸 보니 숙취해소제가 들려있었다. 분명 어제의 난 혼자서 술을 마셨는데 하며 불행한 그를 계속 쳐다보고 있었다. 그렇게 계산하고 편의점을 나가 터덜거리며 걷는 모습까지 빤히 쳐다보다 어제의 일이 떠올라 불행한 그가 한없이 안쓰러워졌다. 내 옆집에서 그런 일이 일어난다면 난 내 주위 사람들의 죽음을 무서워했을 것이다. 물론 불행한 그의 눈엔 난데없이 문을 두들겨 생일 축하해달라는 미친 사람으로 보일진 몰라도 후회하지는 않는다. 결국 아무 일도 안 일어났고 이렇게 불행한 그도 나도 오늘을 맞이했으니깐 말이다. 불행한 그는 제 죽음에 멋대로 끼어든 날 원망할까.

 예능에서 들려오는 게스트들의 웃음소리와 달그락거리며 젓가락의 짝을

찾는 나. 라면을 먹으려고 준비하고 있다. 내 해장은 바로 김치 라면. 해장은 이것만 한 게 없다. 적당히 맵고 간단하게 먹을 수 있는 양이라 자주 찾고는 한다. 뚜껑을 뜯어 그릇으로 만들고 조심스레 면들을 들어서 먹지만 뚜껑에서 새어 나오는 국물 때문에 결국 그냥 먹었다. 그래도 라면을 먹으니까 속이 풀리는 거 같다. 침대에 털썩 누워 내가 평소 즐겨듣는 노래를 재생했다. 그렇게 자동으로 다음 곡, 다다음 곡으로 넘어가고 있을 때 난 하얀 천장만을 바라보면서 뒤숭숭한 마음의 원인을 찾고 있다. 그 불행한 사람은 왜 죽으려고 하는 것일까? 날 미친년으로 생각하려나? 또 그런 일이 일어나면 어떡하지? 라는 생각에 잠겨버린 것이다. 생각하면 할수록 불행한 그에 대한 걱정은 늘어갔고 혹시나 모를 두려움과 불안함도 조금씩 늘어났다. 그러자 나도 모르게 난 나의 손톱을 물어뜯고 있었다. 나의 모습을 인지한 난 아차 싶어 노트북을 켜 글자를 한 자씩 써 내려가기 시작했다.

난 30을 바라보고 있다. 중소기업에서 일하는 일반 회사원이지만 어렸을 때부터 나의 상상을 글로 표현하기를 좋아했고 어렸을 적 나의 글을 읽고 웃으며 귀여워하기도 또는 오글거림에 이불을 발로 차기도 하며 나의 글을 읽는 것을 좋아했다. 이런 재미에 맛이 들인 난 학창 시절부터 20대 후반이 되어가도 틈만 나면 글을 쓰고 있다. 그렇게 전에 쓰던 글을 읽으며 고칠 점들은 고치고 다음 내용을 이어가려고 한다. 지금 쓰고 있는 소설의 내용은 여주인공과 남주인공이 처음 만나게 된 시점을 지나 이다음 어떻게 친해지고 어떻게 사랑에 빠지는 지를 써야 한다. 지금까지 난 제대로 된 사랑을 겪어본 적이 없기에 이번 소설을 쓰기가 굉장히 어렵게 느껴졌다.
 -하, 원래 이런 건 내 경험을 바탕으로 쓰는 건데. 그런 경험이 있어야 쓰지.
 짧은 손톱으로 책상을 탁탁 두들기며 어떻게 써야 할지 만을 고민하고 있다.

 사랑. 대부분 사람은 사랑을 갈취하려고 한다. 사랑에 기대하고 실망하고 세상을 가진 듯 기뻐했다가 세상을 잃은 듯 슬퍼하기도 한다. 사랑 때문에 사는 사람과 사랑 때문에 죽는 사람이 공존하는 이 세상. 이 세상 속에서 제대로 된 사랑을 느껴본 적이 없는 난 외롭지 않지만 외로워야 할 거 같다는 생각이 들고는 한다.

 내 연애 경력은 3번. 2번은 동갑, 나머지 한 번은 2살 차이 나는 연상이었다. 하지만 나의 관대한 성격 탓에 이별을 당하고 변하지 않는 나의 마음에 이별을 고하고 나의 답답한 성격 탓에 또다시 이별을 당했다. 그렇게 헤어지는 동안 난 상실감도 허무함도 그 어떤 감정도 느껴지지 않았다. 내가 그 누구도 좋아하지 않았다는 것이겠지. 이런 내가 사랑 소설이라니. 너무나도 큰 관문이다. 하지만 이런 글은 한 번쯤 쓰고 싶었다. 사랑 소설을 어떻게 써야 할까? 하며 드라마를 보기도 하고 사랑 소설을 읽기도 하였지만 오히려 더 복잡해지기만 한 거 같다.
 -사랑. 그게 도대체 뭔데~
 라며 흥얼거려 보지만, 글이 잘 안 써지자 슬슬 짜증이 몰려왔다. 책상을 두들기던 행동을 멈추고 고개를 치켜세우며 골똘히 고민하다가 다시 글을 써 내려갔다. 불행한 그와 만남을 바탕으로 쓰고 있다. 자살하려던 사람과의 사랑. 재미난 내용이 나올 거 같다는 기대가 물씬 들고는 했다. 하지만 사랑에 빠져야 하는 신에서 또 멈추었다. 사랑은 도대체 어떻게 빠지는 것이냐고 다시 고민에 잠기다가 이 정도 쓰면 됐다 하고는 노트북을 닫았다.

 곧 이어 시계를 보니 해가 곧 지는 걸 알 수 있었다. 해가 마냥 지지 않고 갈게 하고 인사하듯 주황색 때로는 분홍색 빛으로 하늘이 물들곤 한다. 난 이 시간대에서만 볼 수 있는 이 하늘이 좋다. 이 순간만큼은 아무 생각 없이 걷는 사람들도 열심히 사는 사람들처럼 보이고 시끌벅적 담소를 나누는 할머니들도 소녀다워 보이곤 한다.

불행한 그

 -오늘은 꼭 죽어야 해.
 이번만 4번째. 이번에야말로 꼭 죽어야 한다. 난 이 고통을 더는 느끼고 싶지 않다. 이번에야말로.
 -저기요! 문 좀 열어봐요! 저기요!
 난 내 고통을 끊어 줄 줄을 보며 이번엔 꼭 죽어야만 한다고 다짐하였다. 하지만 어떤 여자가 내 문을 힘차게 두드리며 문을 열어달라고 소리를 지르고 있다. 그 소리에 나에게 왜 이러냐며 마음속에서 치밀어 오르는 화를 진정시키고 문을 열었다.

-누구세요.

 옆집에서 보던 여자다. 그 여자는 두려움에 떨고 있는 눈으로 날 쳐다봤다. 왜 이러는지 묻자, 생일 축하해달라는 말이 돌아왔다. 나는 신이 미친년까지 동원해서 나에게 불행한 저주를 준다고 생각했다. 이 상황이 숨이 턱턱 막히고 어지럽다는 생각에 옆집 여자에게 화를 내고 문을 닫으려고 했다. 그러자 돌아오는 말.

-우리 집에서 케이크 좀 먹고 가세요!

 진짜 정신이 나간 여자구나 했지만, 힘을 꽉 주고 문을 잡고 있는 걸 보니 날 쉽게 보내 줄 거 같지 않아서 수락했다.

 나도 어느새 옆집 여자 집에 들어왔다. 건네주는 포크를 받으면서도 내가 미쳤느냐고 하며 지금이라도 일어날까? 하는 고민만 수백 번 하고 있다. 그러자 그 옆집 여자는 치킨과 케이크를 먹으며 술을 건넸다. 난 잘 알지도 못하는 사람이 건네는 술이었기에 거절했다. 그러자 그 여자는 집에 있는 온갖 맥주를 말없이 마시고 마셨다. 그러다 고개를 떨구더니 우는 얼굴로 나에게 물었다.

-안 무서워요?

 난 아무 말도 못 했다. 아 봤구나. 봐서 이러는 거구나 하며 복잡한 심경이 나의 뇌 회로를 멈추게 했다. 그 옆집 여자는 그 한마디를 뒤로 한 채 잠에 빠졌다.

 난 조용히 내 집으로 들어갔다. 갑작스러운 상황에 긴장이라도 한 것인지 차가운 바닥에 쓰러지듯 누웠다. 또 이번엔 못 죽는 건가. 무서워서, 아파서, 기적적으로 살아나서, 이젠 옆집 여자 때문에 내가 못 죽는다니 난 도대체 얼마나 괴로워야 죽을 수 있는 건가 하며 바닥에 덩그러니 누워 굴러다니는 맥주를 마셨다.

-04시 28분.

 이라고 읊조리며 오늘을 맞이한 내가 원망스러웠다. 얼마나 잔 것인지 몸이 뻐근하다. 고개를 돌려보니 맥주가 쌓여있었고 그것을 보자 속이 쓰렸다. 평소라면 참았을 텐데 오늘따라 더 아파와 참고 참다가 결국 편의점으로 향했다. 처음 먹어보는 탓에 계산대에 있는 숙취해소제를 고르는 데 시간이 걸렸다. 편의점 초인종 소리에 고개를 돌리니 옆집 여자가 아르바이트생에게 고개를 숙이고는 라면 판매대에 간 것을 봤다.

난 갑작스러운 만남에 놀라 옆집 여자를 쳐다보고 있었다. 그러자 옆집 여자가 내 시선을 느꼈는지 눈이 마주친다. 사람 눈을 잘 못 마주치는 나에게 눈이 마주쳤다는 사실에 심장 뛰는 소리가 들릴 정도로 빠르게 뛰었다. 점점 숨이 턱에서 막혀왔고 난 그것을 들킬라 얼른 계산하고 집으로 갔다.

　시간은 흐르고, 또 흐른다. 어느새 어두워진 방안. 햇빛은 나를 피하듯 내가 있는 곳을 밝혀주지 않는다. 알고 보니 낮에 사 온 숙취해소제는 술을 마시기 전에 먹는 것이었고 이런 사소한 것도 마음대로 되지 않는 모습이 참 무식하고 비참하여 허무함에 초점 없는 눈으로 창가를 바라보았다. 그마저도 힘든 것인가 차갑고 딱딱한 바닥에 또다시 웅크린 채로 누웠다. 춥다. 세상은 나 없이 돌아가고 시간은 내가 일어서기를 기다려주지 않는다. 이렇게 비참하게 살 바에 죽기를 기대하고 죽기를 바랄 것이다. 문득 머릿속에 스쳐 가는 옆집 여자. 약간의 짜증이 몰려와 미간이 찌푸려진다. 그 옆집 여자만 아니었어도 난 이곳에서 죽고 내 삶은 그렇게 평온하게 마무리될 것이었다...! 평온? 그게 정말 평온한 마무리인가? 아, 아, 아, 또다시 깊게 빠져드니 머리가 조여오듯 아프다. 약이 싱크대에 있을 텐데 하며 고개를 돌려 싱크대로 시선을 향했다. 저 멀리 쌓인 약이 보인다. 하지만 지끈거리는 머리와 흐릿한 시야, 움직일 생각이 없는 팔, 다리 때문에 가만히 누워있고 싶었다.

　-저기요! 옆집 사람인데요.
　몇분이 지났을까 옆집 여자가 또다시 날 찾아왔다. 왜 또 라며 중얼거리고는 문을 살짝 열어줬다. 옆집 여자는 날 보더니 곰곰이 무언가 고민한 뒤 내게 말했다.
　-집에서 쉬려고 했는데 걱정돼서 안 되겠어요. 저희 산책이라도 해요.
　라는 여자 질문에 어이없어하며 생각나는 대로 변명을 만들어 거절했다.
　-죄송해요. 선약이 있어서.
　-선약이 있는 사람이 지금까지 자다 나와요?
　아. 이게 안 통하면 또 다른 변명이.
　-아. 사실 몸이 안 좋아서.
　-그럼 간병해 드릴게요. 그게 싫으면 5분 안에 나와요.
　끼익. 약간의 대화를 나누고 문이 닫혔다. 무례한 여자다. 그냥 다시 잘까, 생각했지만 정말 나갈 때까지 기다릴 거 같았기에 바닥에 널브러져 있는 후드가 달린 검은 패딩과 검은 삼색 슬리퍼를 신고 나갔다.
　-그래도 최소 3분은 걸릴 줄 알았어요.

라는 말을 내뱉고 먼저 앞서나가는 여자를 빤히 쳐다봤다.

어느덧 공원 가를 걷고 있었고 난 그 여자가 나에게 어떤 질문을 할지 상상하고 대답할 연습을 하고 있었다. 뭐 그저 그날 기분이 안 좋았다던가 반려동물과의 이별 등과 같은 변명 말이다. 그와 동시에 이렇게까지 해야 하나 불쾌함도 느껴졌다.

-여기서 잠시 쉬어갈까요?

그 여자 말에 따라 벤치에 앉았다. 앉으면서도 내가 왜 나와야 하지에 대한 불만으로 가득했다.

-자는 사람 깨워서 죄송한데 그래도 계속 꿍한 표정 짓지는 말죠. 걱정돼서 데리고 나온 건데.

'걱정돼서' 난 그 말이 싫다. 난 그것이 좋다, 원한다. 라는 말은 일절 하지 않았지만, 난 그것을 원하는 사람으로 되어 그것에 강제로 배려받아야 했다. 그런 의미가 숨겨진 '걱정'이 싫다. 도대체 누가 누굴 걱정하나. 그리 많은 걱정시킨 나인데 왜 이 꼴인가. 아. 나도 모르게 순간 깊이 생각했다. 정신을 차리자 옆집 여자가 날 빤히 쳐다본다.

-제가 혹시 당신이 싫어하는 말을 했나요? 전 생각이 많을 때 글을 쓰지만 그 쪽은 해소할 방법이 없어 보여 산책하러 가자고 한 것이었어요.

-아. 네.

.

.

.

침묵만이 흐른다.

-오늘은 이만하고 가죠. 저희 천천히 친해져 봐요.

그 말을 듣고 난 인사도 없이 일어섰다. 불쾌했다. 내 자살을 방해한 사람, 내 죽음을 방해한 사람, 내 평온을 방해한 사람, 그런 사람이 날 위한답시고 행동하는 게 하찮았다. 머리가 또다시 아프다. 누가 나의 양쪽 머리를 잡고는 세게 흔들고 있는 거 같다. 또 지끈거리기 시작했다.

옆집 여자

 어느덧 짙어진 밤. 불행한 그에 대한 걱정도 짙어졌다. 그런 마음에
인터넷에 우울 극복 방법을 쳐봤자 움직여라, 취미를 만들라 등과 같은
말뿐이었다. 몇 초 생각에 잠기다 방법을 떠올렸다. 그래! 산책하는 거야.
선선한 공기와 바람도 느끼고 걸으면서 울적한 마음도 정리하는 거지
하며 불행한 그를 불렀다.

 무작정 불행한 그의 집에 찾아갔다. 딱 봐도 부스스한 차림으로 자다
나온 모습인데 안 가려고 거짓말하는 불행한 그가 하찮았다.
 그렇게 얼떨결에 날 따라 나온 불행한 그는 매우 그것도 아주 매우
기분이 안 좋아 보였다. 억지로 나온 거라 당연할 테지만 급기야 어딘가
아파 보이기까지 했다. 그 모습을 보고 벤치에 앉아 쉬자고 말하자 그는
아무 말 없이 내 옆에 있던 벤치에 앉았다.
 -자는 사람 깨워서 죄송한데 그래도 계속 꿍한 표정 짓지는 말죠.
걱정돼서 데리고 나온 건데.
 라고 정적을 깨자. 고개를 숙인 불행한 그의 머리카락 사이로
불쾌하다는 듯 입술을 깨물고 있는 것이 보였다. 큰일이다. 하필 해도
기분 나쁠 말을 하다니 이것은 불행한 그를 위한 것이 아니게
되어버렸다.
 -제가 혹시 당신이 싫어하는 말을 했나요? 전 생각이 많을 때 글을
쓰지만 그 쪽은 해소할 방법이 없어 보여 산책하러 가자고 한
것이었어요.
 라고, 급하게 해명해도 불행한 그의 불쾌한 표정은 여전했다. 그 모습에
난 결국 이만하고 가자는 말을 고했고 불행한 그와 집 방향이 같다는
것을 고려해 편의점에서 몇 분이나 기다리다가 집에 홀로 돌아갔다.

 어떡하지. 불행한 그의 행복을 바랐지만 내가 더 불행하게 만들어버린
거 같아 약간의 죄책감이 몰려왔다. 그렇다고 그만두기엔 불행한 그의
죽음이 내 눈앞을 아른거려 머리가 어지럽기까지 했다. 그렇게 골똘히
생각하던 중. 불행한 그의 집 안이 생각났다. 서늘하고 섬뜩한 공기와 텅
빈 방. 그런 집에 있으면 나까지도 우울해질 거 같았다. 그럼, 그 집에서
나오게 해야 하는데.

-남녀가 놀기 좋은 장소.
라고, 검색하자 동성로 데이트 추천 장소, 광안리 데이트 추천 장소 등이 나왔다.
-아니. 데이트 말고! 우울한 사람 행복하게 만들어 줄 수 있는 그런 장소 말이야.
나도 모르게 부끄러워져 혼잣말로 짜증을 내고는 했다. 그렇게 검색해 본 결과. 그와 같이 갈 장소를 계획했다.

☐ 놀이공원 가기

☐ 바닷가 가기

☐ 축제 보기

☐ 전시회 가기

☐ 피크닉 하기

-짠~ 이름하여 불행한 그를 행복하게 해주는 계획~
겨우 다섯 항목뿐이었지만 점차 늘릴 생각이다. 막상 이렇게 적어놓으니 내심 뿌듯했다. 먼저 놀이공원부터 가는 것이 좋을 거 같아서 언제가 좋을까 하고 핸드폰 캘린더를 열었다. 어디 보자. 이른 시일 내에 가는 것이 좋을 텐데....
-그래! 01월 28일 일요일이 좋겠어!
라고 나 혼자만의 약속을 생각했다. 내일 퇴근길에 옆집에 들러서 같이 놀이공원을 가자고 할 생각이었다.

-싫습니다.
아주 단호하게 거절을 당해버렸다. 그래도 계속 가자고 하면 같이 가주지 않을까 하는 마음으로 계속 설득에 나섰다.
 -그래도 같이 가는 거 어때요? 놀이공원 타면서 우울한 마음도 잠시 뒤로 하고....
 -아뇨. 괜찮아요.
 -계속 집 안에 있는 것보다.!
 -하. 계속 싫다고 거절하고 있잖아요. 제가 죽으려던 거 보니까 불쌍해서 이러는 거예요?
 불행한 그는 날 한심하게 보며 자기 할 말만 하고는 문 뒤로 사라져 버렸다. 다시는 그런 실수 안 하려고 했는데. 불행한 그를 행복하게 해주는 건 정말 어려우려나 라는 생각 속에서 내 마음을 쿡 찌른 불행한 그의 말이 내 마음속에 맴돌았다.

 그래. 내 걱정이 불행한 그에게 고통 일 수 있어. 시간이 치유해 주겠지. 라고는 생각했지만 여전히 복잡한 마음에 노트북을 켜 전에 쓰던 소설을 다시 써 내려갔다.
 얼마나 지났을까. 오랜 시간 허리를 구부린 탓에 아픈 허리를 느끼고는 그제야 키보드에서 손을 뗐다. 기지개를 쭉 펴고 썼던 글을 다시 보니 불행한 그와 놀이공원 간 일. 바닷가 간 일. 축제를 본 일 등 나의 상상으로 불행한 그와의 헛된 추억을 써 내려갔다. 그런 나의 모습을 보니 조금은 서러워졌다.
 -내가 이렇게 생각해 주는데 아무리 내가 귀찮아도 자신의 행복을 빌어주는 사람도 있다고는 깨달아야지!
 하고 불행한 그가 들었으면 하는 마음에 벽에다가 대고 큰 소리로 말했다.

 그렇게 월요일이 지나고 화요일이 지나고 상사의 꾸중도 듣고 여직원들과 잡담도 나누며 시간을 보내도 불행한 그의 걱정은 점점 더 짙어지기만 했다. 집 밖으로 나오게 하는 게 안 되면 집 안을 따스하게 꾸며라도 볼까? 아니야. 나와 대화하기도 싫어하는 사람 집에 들어가는 건 좀.... 이건 나중에 친해지고 나서 하자며 내 리스트에 적어두었다.

☐ 놀이공원 가기

☐ 바닷가 가기

- ☐ 축제 보기

- ☐ 전시회 가기

- ☐ 피크닉 하기

- ☐ 집 꾸며주기

 그렇게 또 시곗바늘은 12시를 가리키고 또 가리키고 하루가 지나는 것을 반복하고는 나 홀로의 약속 당일이 왔다. 01월 28일 일요일이라고 적힌 날짜를 보니 내 마음속 어딘가에 섭섭함이 묻어 나온다. 마지막이라도 물어볼까 하는 마음을 괜히 그랬다가 또 화내면 어떡해 라는 생각으로 잊어보려고 했다. 그래도 맛있는 거라도 갖고 가면…. 그래. 끼니도 잘 안 챙겨 먹는 거 같던데. 이것저것 좀 사서 주면 그래도 조금이나마 도움이 되지 않을까? 하는 마음으로 인스턴트가 가득한 봉지를 들고는 이번에는 조용히 초인종을 눌렀다.
  -띵동

  .

  .

  .

  -띵동

  .

  .

  .

  -띵동

초인종을 여러번 울렸는데도 아무런 반응이 없어서 집에 없나 하던 찰나에 문틈이 열려있는 것 발견했다. 이거 영화에서는 되게 위험한 상황이 나온다는 클리셰던데.... 라는 생각에 몸이 경직된 채 조심히 문을 열었다.

.

.

.

-저기요!!!!!

불행한 그

 -문 열 거라.
 아버지다. 아버지의 낮은 목소리를 듣는 순간 누가 내 목을 조르듯 막혀왔고 아버지의 목소리가 머릿속에서 울리는 고통이 느껴졌다.
 -문 열 거라.
 하는 아까보다 더 높은 목소리에 다급히 문을 열었다. 그러자 아버지는 집 안을 둘러보고는
 -짝.
 내 뺨을 때렸다.
 -집을 나갔으면 사람 구실이라도 해야 할 거 아니냐.
 라는 말을 남긴 채 옅은 한숨으로 말의 끝을 맺었다. 어지러웠다. 두통이 있는 상태에서 뺨을 맞으니, 시야가 더 뿌예졌다. 아무런 소리가 들리지 않았다. 그저 묵직한 아버지의 발만을 보고 그 발이 돌아서 가기를 기다렸다.
 몇 분이 지났을까 혀를 차며 그제야 그 무거웠던 발이 때졌다. 아버지가 현관문 밖을 나간 걸 보고 곧 바로 난 그 자리에서 주저앉았다. 아무런

생각이 안 들던 찰나에 쌓인 약들이 보였다. 그게 내 마지막 기억이다.

 시끌벅적한 소리에 눈을 뜨자 전등 빛에 눈앞이 하얘졌다. 점차 그 하얀 빛이 사라질 때쯤 옆에서 노려보고 있는 옆집 여자가 보였다. 또 재구나 하는 순간 옆집 여자는 내 배에다가 봉지를 던지고는 쏟아내듯 말했다.
 -의사 선생님이 이제 퇴원해도 된다고 말씀하셨고 약 그렇게 많이 먹어도 안 죽는데요....!
 라고 끝날 줄 알았으나 다시 말을 이어가기 시작했다.
 -그리고 그쪽 말대로 걱정도 안 할 거고 당신이 싫어하는 짓 안 할게요. 그 대신 부탁 좀 들어줘요.
 -부탁이 뭔데요?
 라고 묻자, 옆집 여자는.
 -바닷가 가기요!
 라고, 힘 차게 말하고 날 빤히 쳐다본다. 어이가 없어서 웃음이 나왔다. 내가 싫다는 짓 안 한다고 해놓고 부탁이 바닷가 가기라니. 거절하려던 찰나에 내 신세가 보였다. 그 여자는 내 병원비까지 다 결제하고는 온갖 음식들을 갖고 왔다. 내가 거절할 수 없는 상황이었다.
 -그러죠.

그렇게 바닷가를 가기로 하고 얼마 지나지 않아 그 당일이 왔다.

옆집 여자

 결국 와버렸다. 병원에서 내가 도대체 무슨 말을 한 것이지. 너무 얼떨떨한 상황이라 실감이 안 난다. 그리고 어째서 말 한마디가 없을 수 있는 것일까. 아무리 어색한 사이여도 기차에서도 지하철에서도 불행한 그는 아무 말 없이 날 따라오는 것뿐이었다. 어색함에 눈치만 봤지만, 불행한 그는 말을 꺼낼 생각이 하나도 없어 보였다.

 점심 시간대에 만나서 그런가 밥만 먹었는데도 벌써 해가 저물었다. 코 끝이 아리는 차가운 바람. 그런 바람에 대응하는 거센 파도 그리고 이 추운 날과 안 어울리는 잔잔한 버스킹 노래까지. 이 모든 게 싫지만은 않았다. 불행한 그도 나와 같은 마음일까 하며 얼굴을 쳐다보니 또 그 표정이었다. 밤 산책 할 때의 그 불쾌한 표정. 이번에는 내가 실수 하려고 해도 대화를 안 해서 할 수가 없었다. 무엇이 불행한 그를 그런 표정을 짓게 만든 것일까. 무엇이 불행한 그를 괴롭히는 것일까.

☐ 놀이공원 가기

☑ ~~바닷가 가기~~

☐ 축제 보기

☐ 전시회 가기

☐ 피크닉 하기

☐ 방 꾸미기

　바닷가 가기 항목에 표시를 했다. 기차에서도 불행한 그는 창밖만을 보고 나도 어색함에 핸드폰만 뒤적거리다 집에 왔다. 분명 목표가 달성되어 기쁜데 마음 한구석에 해결되지 않은 것이 잔뜩 엉켜 있는 것만 같았다. 그런 마음에 다시 소설을 쓰고자 노트북을 켰지만 현실과 다른 소설 내용에 웃음밖에 안 나왔다. 같이 인생 네 컷을 찍고 카페를 가고 밤바다 보면서 고백을 하. 고백? 이거 내가 쓴 거 맞지? 노트북이 바뀌었나? 하며 노트북을 둘러봤지만 내 것이 맞았다. 난 당황함에 황급히 고백을 했다는 내용을 지웠다. 언제 내가 이런 걸 썼는지. 아무리 소설이지만 나와 불행한 그를 바탕으로 쓰는 거라 부끄러웠다. 그리고 오늘 일도 소설 속 넣으려고 했지만 오늘 일 중엔 조개가 맛이 없었다는 둥 바가지를 너무 씌었다는 둥 이런 엉뚱한 일밖에 없어서 소설 쓰기를 관뒀다. 어떻게 이 소설을 완성해야 할까 몇 분을 고민해봤지만, 도저히

감이 안 잡힌다. 불행한 그와 나에 대한 이야기. 왜인지 모르게 재미있을 거 같다는 생각이 가득했다. 그나저나 이 소설 제목을 뭐라고 지어야 할까.

불행한 그

손 끝이 얼어붙어 문을 열기조차 버거웠다. 저 옆집 여자는 이 한 겨울날 바닷가를 그렇게 가고 싶었나.

그날이 있고 나서 1년이 지나 다시 가보니 여전히 마음이 아팠다. 부모님의 다툼과 유리가 깨지는 소리 속에서 들리는 내 이름. 내 이름을 듣기 싫어서 귀를 때리고 막아도 내 이름만은 선명하게 들려왔다. 그런 지친 나에게 넓은 바다는 내 안식처와 같이 느껴졌다. 그래서 아무런 계획도 없이 바닷가를 갔었다. 오후 2시가 되고 3시가 되고 해가 지고 밤이 오고 새벽이 오고 한 자리에서 멍하니 앉아있는 나에게 그 어떠한 연락도 오지 않았다. 바닷가만 오면 마음이 편안해지고 머릿속도 깨끗해지고 행복 할 줄 알았으나 이 거친 파도 소리도 사람들에게 둘러싸인 채 사랑을 부르는 저 노랫소리도 이 추운 공기도 다 싫었다. 나에게 말을 거는 사람은 없지만 마치 누군가가 내가 대답할 틈도 없이 나에게 말하는 것만 같았다. 죽으라고. 죽어. 죽어. 죽어. 죽어. 죽어. 죽어. 죽어. 제발 죽어 라는 말에 또 다시 내 귀를 때리고 막아봤지만 그 소리는 내 심장까지 울려 퍼지는 것 같았다. 그 소리에 괴로운 난 살려달라고 바닷속에 뛰어들었다. 그 추운 바닷속에서는 어떠한 소리도 감정도 생각도 날 얽매이게 하지 않고 그저 조용히 삼켜 줄 것만 같았다.

그리고 오늘, 그 장소를 다시 갔을 때 들렸던 거센 파도 소리와 버스킹 노랫소리 그리고 추운 공기가 다시 날 그날로 돌아가게 만든 것만 같았다. 물에 홀딱 젖어 내 귀를 때리며 정신없이 울었었던 내 모습이 다시 떠올라 나 자신이 초라했다.

옆집 여자

 어둡던 하늘이 다시 푸른 하늘을 보여준다. 출근하려고 집을 나서자, 옆집이 보였다. 오늘따라 그 옆문이 왜 이렇게 눈에 띄는지 한참을 쳐다봤다. 그리고 아차 싶어 메모지를 붙였다.

저희 연락처 교환해요!
010-####-####
위에 전화번호 제 거니깐 저장하세요 ^v^

 라고 붙이면 불행한 그가 자기 번호를 적고 내 집 앞에 붙여줄 것을 상상했다. 하지만 그런 내 예상과 다르게 내 메모지는 구김 자국도 없이 불행한 그의 집 앞에 떨어져 있었다. 사람들이 계단을 오르고 내리면서 답장이 안 적혀있는 내 메모지를 보고 갔다고 생각하니 민망했다.
 -뭐야.... 일도 안 하나 하루 종일 집 밖을 나오지를 않네.
 라고, 한탄한 채 집으로 들어갔다.
 창문을 열어 퇴근하고 오니 다시 어두워진 하늘을 하염없이 보기만 했다. 불행한 그는 오늘 어떤 하루를 보냈을까. 여전히 죽고 싶을까. 정신을 차리고 보니 별생각 없이 나의 두려움으로 시작됐던 불행한 그를 행복하게 해주는 계획은 어느새 내 최종 목표가 되었다.
 -하. 다음 약속은 또 어떻게 잡아야 하나.
 라고, 고민하던 찰나에 옆집 베란다 문이 드르륵 하고 열렸다. 그 소리에 난 조용히 숨어 불행한 그에게 귀를 기울였다. 내 집까지 넘어오는 알코올 냄새와 오늘 하루가 어땠는지를 말해주는 깊은 한숨. 오늘도 힘들었구나 하는 생각에 몸에 힘을 뺀 채 나도 옅게 한숨을 쉬었다. 맥주 캔을 따면서 들리는 맥주 탄산 소리 그리고 맥주 캔을 딴지 얼마 안 돼서 맥주 캔을 떨어뜨린 소리도 들렸다. 밑에서 담배 피우는 있는 아저씨가 아무 말 없는 거 보니 자신의 발밑으로 떨어뜨렸나 보다. 그리고 얼마 뒤 뭔가가 세게 흔들리는 소리가 들려왔다.

-안 돼!!!

라며 나도 모르게 놀라 소리쳤다. 난 불행한 그가 베란다에서 떨어져 한 번 더 죽으려고 하는 줄 알았기 때문이다. 하지만 불행한 그는 베란다 창문을 닫으려다 잘 닫히지 않아 난간을 붙잡고 베란다 창문을 흔든다 난 소리였다.

-네?

라는 짧은소리와 알코올 때문에 빨간 얼굴. 당황한 듯한 표정을 보자 난 너무 부끄러워 고개를 다른 곳으로 돌린 채 말했다.

-죄송해요. 제가 오해를 해서.

라고, 해명한 채 불행한 그의 대답을 기다렸지만, 좀처럼 불행한 그는 아무런 말도 하지 않았다.

-혹시 저희 전화번호 교환할래요? 이제 볼 일 많아질 거 같은데!

어색함도 깰 겸 해맑은 목소리로 물었다.

-아니요. 이제 볼 일 없을 거 같은데요.

라고, 불행한 그는 또다시 딱 잘라 거절했다. 그래 이렇게 나와야지. 교환할 거란 기대는 하나도 없었어. 혹시나 해서 물어본 거야 혹시나 라는 생각으로 민망하다는 듯한 웃음과 함께 눈인사하고 침대로 뛰었다. 왜! 왜! 왜! 항상 거절만 하는 걸까. 내가 그렇게 싫은가? 바닷가도 같이 간 사이인데? 이러면 그다음 약속 어떻게 잡아 라며 짜증을 숨죽이며 호소했다. 그러자 모태 솔로이지만 연애 박사인 친구가 생각나 도움을 구했다.

좋아하는 사람 생겼어?

남자랑 약속을 어떻게 잡아야 할까

아니긴 뭐가 아니야 생겼구먼

아니 그건 아니고 어떻게 잡냐고~

그럼?

그건 아니야

정말이지?

그냥 알려줘 내가 나중에 다 설명할게

그렇게 해서 얻은 방법은 그냥 될 때까지 직진이었다. 다른 방법이 없냐고 조르니 그냥 만나자고 얘기하라는 답변만 왔다. 이 방법이 그렇게 쉬우면 난 이미 불행한 그와 해외 여행도 같이 갔을 거다! 해외여행...? 스위스 같은 곳 가면 불행한 그도 좋아하지 않을까?

  ☐ 놀이공원 가기

  ☑ ~~바닷가 가기~~

  ☐ 축제 보기

  ☐ 전시회 보기

  ☐ 피크닉 하기

  ☐ 집 꾸며주기

  ☐ 해외여행 가기

  하면 좋고 안 해도 그만이니 적어놓아도 괜찮을 거라고 하는 생각에 일단 적어뒀다. 이제 해야 할 항목이 6개밖에 안 되는데 왜 이렇게 막막할까. 전처럼 직진하다가 화만 불러일으키면 어쩌지. 이것도 문제, 저것도 문제. 문제투성이다. 그러던 도중 갑자기 직진했다가 화낼까 봐가가 걱정이면 직진이 아니면 되는 거 아닌가 하는 생각이 들었다.
  -역시 난 천재야!
  라는 말을 내뱉고 종이비행기를 접어서 옆집 베란다로 날렸다. 02월 03일에 같이 전시회를 보러 가자는 말을 남긴 채 말이다. 아 그리고 답장은 안 받겠다는 말도 적었다. 이러면 거절도 안 당하고! 화를 내기에도 애매하고! 중소기업에 있기에는 너무 아까운 인재인데 하며 자화자찬했다. 이제 불행한 그가 읽기만을 기다리면 된다.

불행한 그

 주방에서 물을 먹고 있었다. 그러자 베란다로 뭔가가 떨어지는 곳을 보고 다가갔다. 종이비행기였다. 종이를 펼치자, 전시회를 보러 가자는 글을 읽음과 동시에 옆집 창문에서 역시 난 중소기업에 있으면 안 된다는 소리가 들려왔다. 창문 안 닫으면 잘 때 추울 텐데 참 생각 머리 없는 여자다.
 02월 03일이라.... 그나저나 답장이 필요 없다니 역시 그때 병원에서 옆집 여자의 부탁을 들어줬으면 안 됐다.

 전시회라.... 꼭 가야 하나라는 고민만 하다가 어느덧 02월 03일이 되었다. 점심 시간대가 지나고 문을 두들기는 소리가 들렸다. 나갈 준비를 굳이 해야 한다는 생각에 짜증이 밀려왔지만 잠시 기다리라는 말을 남긴 채 나갈 준비 했다.
 문을 열자 날 기다리는 옆집 여자가 보였다. 어느 정도 거리를 둔 채 버스 정류장에서 버스를 탔다. 그렇게 버스에서 10분, 20분, 30분을 선 채로 가고 있다. 사람도 많은 터라 한 겨울인데도 패딩을 벗고 땀을 흘렸다. 이러다가 멀미까지 와버릴 거 같았다. 그때 누가 내 손목을 잡고 내리는 것이 아닌가. 놀란 표정으로 바라보니 사람들 속에 묻혀서 안 보였던 옆집 여자였다.
 -괜찮으세요? 이렇게 사람들이 많을 줄 몰랐는데.
 하며 자신의 잘못인 듯 옆집 여자는 미안한 표정을 지었다. 난 고개를 끄덕이며 괜찮다고 알려주었다.

 입장 티켓을 끊고 사람들의 발소리조차도 잘 안 들리는 조용한 전시회장에 들어섰다. 과거와 현재를 보여주는 사진으로 가득했다. 사람들이 쓰던 탁구대가 눈에 쌓여있고 아이들이 놀던 그네가 끊어져 있다. 하나 같이 과거는 좋은 모습이었다가 현재는 초라했다. 그런 모습에 이끌렸는지 나도 모르게 전시회에 빠져들었다. 그렇게 나태함을 표현하는 전시품도 보다가 내가 지금 보고 있는 전시품이 마지막이라는 것을 깨닫고 그 옆집 여자를 쳐다봤다. 옆집 여자는 미간을 살짝 찌푸린 채로 전시품의 설명서까지 꼼꼼히 읽고는 해맑은 웃음으로 눈을 마주치며 말했다.

-재밌었어요. 다음에 또 와요.

나도 이번만큼은 후회가 없었다. 다음이 있다면 전시회를 다시 방문해 보자는 생각까지도 했다.

이번에는 버스에서 앉아서 10분, 20분, 30분을 보내고 10분 정도 더 걸어갔다. 그 옆집 여자도 나도 핸드폰을 안 꺼냈지만 그렇다고 대화하는 것도 아니다. 그저 앞만을 보며 걷고 있었다. 난 이 평온함이 좋았다.

옆집 여자

☐ 놀이공원 가기

☑ ~~바닷가 가기~~

☐ 축제 보기

☑ ~~전시회 가기~~

☐ 피크닉 하기

☐ 방 꾸미기

☐ 해외여행 가기

벌써 두 개를 성공했다. 이제 앞으로는 수월 할 것만 같다는 기분이 든다! 오늘 전시회를 보는 불행한 그의 모습은 바닷가 때와 다르게 조금은 괜찮아 보였다. 이 기세를 몰아 나는 얼른 2024 축제 일정을 검색해 보았다.

 -02월 04일 국토 정중앙 달맞이 축제...? 02월 04일이면 내일이네. 딱 맞다!

 하며 불행한 그에게 축제 가자는 말할 생각에 설레었다. 그때는 지금처럼 어색하지 않고 몇 마디 나누겠지? 축제하면 무슨 옷을 입어야 하나.... 베이지색 반집업 니트에 검정 치마를 입을까? 아니야 추울 거 같아. 아참 향수도 새로 사야 하나? 남자들이 좋아하는 향수....는 무슨 그냥 원래 쓰던 거 사자. 옷은 뭐 따뜻하게 롱패딩 입지 뭐! 누가 보면 짝사랑하는 줄 알겠네.... 늦은 시간이었기에 베란다에서 우연히 또 마주치면 말하려고 옆집 베란다에 계속 귀를 기울였다. 하지만 역시나 내가 직접 찾아가는 게 훨씬 더 빠를 거 같은 생각에 현관문을 나섰다. 오늘 전시회를 가서 그런지 이번에는 거절당할 거 같다는 느낌이 들지는 않았다.

 -띵동
  .
  .
 -어쩐 일로....

 늦게 문 열어줄 것으로 생각했지만, 초인종 소리가 울린 뒤 얼마 안 가서 문을 열어주어 나도 다급하게 말을 꺼냈다.

 -어? 그러니까 저희 내일 축제 보러 갈래요?

 -언제요...?

 곧바로 그 남자는 대답했다. 의기소침한 목소리였지만 언제라고 묻는다는 것은 바로 같이 가겠다는 의미! 내 목표의 끝이 벌써 보이는 것만 같았다. 놀란 내가 되묻자 그 남자는 민망한 듯 같이 가자는 것 아니었냐고 물었고 그렇게 약속이 성립되었다. 집에 와서도 이게 무슨 일인지 실감이 나지 않았다. 사실 마음 한편으로 거절당할까봐 겁먹었는데. 행복하게 해주는 거 쉽네! 앞으로도 이렇게 계속 놀러 다니면 되겠지? 아 그래 이건 글로 써야 해!

제**2**화 이 행복이 영원하길

그 남자

 전시회를 다녀오고 나서 10분이 지나고 30분이 지나고 1시간이 지나고. 왜인지 모르게 계속 시간을 확인하고 어두운 창밖을 계속 보게 됐다. 허기짐에 배달 음식을 시킬까? 하며 둘러보던 중 그 여자와의 첫 만남 때 시킨 치킨이 보였다. 평소 먹지 않던 브랜드였지만 나도 모르게 결제 버튼을 누르고 배달을 받아 식탁에 앉았다. 순식간에 지나간 나의 행동들이 당황스러워 치킨을 멀뚱히 보다가 하얀 소스에 찍어 먹었다. 치킨 뼈를 발라서 봉투에 넣으니 어느새 치킨 뼈가 차곡히 쌓여있었다. 평소 배달 음식을 많이 시키던 나였지만 밖에 나가기가 싫어서 시키고는 다 먹지도 못하고 먹다 남은 음식을 버리기를 반복했다. 그런데 오늘은 웬일로 내가 치킨을 다 먹었다니 놀람과 동시에 뿌듯함도 밀려왔다.
 -띵동
 벨소리가 울렸다. 찾아올 사람이 없는 나에게 유일하게 찾아와주는 그 여자였다. 나는 얼른 손을 씻고 문을 열었다.
 -어쩐 일로....
 -어? 그러니까 저희 내일 축제 보러 갈래요?
 라는 물음에 애써 침착했지만 나름 기뻤다. 미술관 때처럼 평온한 시간을 보낼 수 있었을 거 같았기 때문이다. 그 여자는 내일 가자 말하고는 자기 집으로 도망가듯 들어갔다. 내일이라.... 축제면 무슨 옷을 입어야 할까?

축제이니 어느 정도 꾸미려고 했으나 평소 자는 걸로 하루를 보내던 터라 옷이 없어도 너무 없었다. 결국 대충 몇 개 걸치고는 문밖으로 나섰다.
-...안녕하세요.
라고, 말하는 그 여자였다. 이 날씨에 치마라니. 추운 날 바닷가를 가는 것도 그렇고 추운 걸 너무 좋아하는 거 같다.

한 번도 가지 않았던 전통 축제였기에 먹거리가 어느 정도 있는 그 정도에 축제만으로 알고 있었다. 하지만 막상 오니 트로트만이 흘러나왔다. 내심 당황한 마음에 그 여자를 보자 그 여자도 잠시 당황한 듯하다가 노래 박자에 맞춰서 열심히 손뼉을 쳤다. 그런 모습을 보고 있자니 나도 웃음이 나왔고 그 여자를 따라서 같이 손뼉을 쳤다. 나름대로 전통 놀이에도 참여하며 즐거웠지만 그 여자는 모든 게임을 나에게 지는 바람에 즐겁지는 않은 모양이다. 어느덧 밤이 되고 이 축제의 하이라이트가 시작된다. 진행자의 올해 건강히 지내라는 말과 함께 강강술래 음악이 흘러나왔다. 우리는 불이 활활 타오르는 것만을 바라보고 있었다. 옆에서 아줌마들의 담소도 어린아이들의 웃음소리도 거슬리지 않았다. 그렇게 타오르는 불만을 보다 진행자가 말을 꺼냈다.
-여러분 달이 떠오르고 있습니다!!!
라는 말과 함께 카운트 다운을 셌다.
-오!
-사!
-삼
-이!
-일!!!
카운트 다운이 끝나는 동시에 저 위에 둥근 달이 보인다. 그 달을 바라보고 있을 때 옆에서 작은 소리로 그 여자가 감탄하는 것이 들려왔다. 그저 달이 뜬 것뿐인데 그저 불이 타오르고 있는 것뿐인데 우리는 이 전통을 무척이나 마음에 들어 하고 있다는 것이 느껴졌다.
-사랑하는 사람들, 행복하게 해준 사람들. 저 달을 보고 마음을 담아 소원을 빌어봅니다.
라는 진행자의 말에 행복하게 해준 사람이라.... 하며 고민했다. 나도 모르게 옆을 돌아보니 그 여자는 벌써 두 손을 꽉 쥐고 눈을 감은 채 소원을 빌고 있었다. 그 모습에 나도 얼른 소원을 빌었다.

그렇게 축제도 끝이 나고 사람들도 하나둘 집에 가기 시작했다. 우리도 또다시 기차를 타고 갔다. 난 그때처럼 창가에 앉았고 어두운 밤하늘에 창밖 풍경이 잘 보이지는 않았지만 왜인지 계속 쳐다보고 있었다. 이런 나를 돌아보게 한 건 그 여자였다.
-이번 축제 저는 되게 재밌었는데 어땠어요?
라는 물음에
-저도 재밌었어요.
라고 답했다. 그러고 슬며시 창밖을 다시 보며 이런 날이 또 올까? 하는 헛된 기대를 품었다.
-저희 날씨 풀리면 피크닉 할래요?
이 여자는 하고 싶은 게 왜 이렇게 많고 뭐가 또 그리 좋은 것인지 싱글벙글 웃고 있었다. 그 웃음이 끝나는 것이 보기 싫어 알겠다고 답했다. 그리고는.
-그럼, 저희 번호 교환할까요?
라고 내가 말했다. 나도 이 말이 내 입 밖으로 나온 건지 실감이 나지 않았다.
-네?!
라는 반응이 나를 더 당황스럽게 했다. 이건 분명 뇌를 걸치지 않고 뱉은 말이다. 내가 이런 말을! 나 자신에게조차 놀라 어떻게 이 실수를 수습해야 하는지 급히 생각하던 찰나에
-좋아요!
라고 그 여자가 답했다. 놀라서 어쩔 줄 모르던 마음은 사그라들었지만 놀란 마음의 여흔은 남아있는 채로 그 여자의 번호를 저장했다.
집에 와서 지현이라고 저장한 번호를 보니 그 여자에게 번호 교환을 하자고 한 것이 떠올라 얼굴이 뜨거워졌다. 뭐 때문에 내가 이렇게 변한 것인지. 그 여자의 웃는 모습밖에 안 떠올랐다.

그 여자

  3일 동안 옷장을 몇 번을 봤는지 모르겠다. 옷을 시킨다고 해도 3일 안에
옷이 올지도 모르겠고. 결국 베이지색 니트에 검정 치마를 입고 패딩을
걸쳤다. 기모 스타킹도 신어봤지만 뚱뚱한 다리가 더 뚱뚱해 보여서 결국
긴 양말로 대체했다. 이런 차림으로 만나는 건 처음이라 부끄러운 감이
있었지만 그 남자도 회색 후드티에 하얀 티를 겹쳐 입은 것으로 보아
나름 꾸며온 것 같아 마음이 놓였다. 빌라를 나서자 복도에서부터
느껴졌던 차가운 공기와 더불어 바람이 불어왔다. 그 때문에 내 맨
다리가 너무나 추웠다. 괜히 추운 티를 안 내려고 열심히 걷다가 결국 못
버티고 택시를 불러서 갔다. 그 남자와는 여전히 말이 없었지만 만남이
늘어나니 우리의 사이도 제법 전보다 가까워진거 같다.

  달맞이 축제가 우리나라 전통문화인 건 알고 있었다만 화려한 트로트
노랫소리에 내심 놀랐다. 하지만 듣다 보니 흥겹고 재밌어서 이 축제에
물씬 빠져들었다. 그렇게 뒤 이어 전통 놀이도 그 남자와 같이 했지만
지고 또 지고 또 졌다. 집 밖을 안 나오는 이유가 하루 종일 집에서 전통
놀이 한다고 안 나오는 게 확실하다! 그렇게 축제를 즐기던 찰나에
드디어 시작되는 달집태우기. 소란스러운 사람들의 이야기와 가족끼리
사진을 찍는 모습 그 장면 자체가 난 보기 좋았다. 한 공간에서 같은
시간을 똑같이 즐거운 마음으로 보내고 있는거 같았기 때문이다. 그러자
진행자의 카운트 다운 소리가 들렸다. 그 소리에 나도 같이 외쳤다.
    -오!
    -사!
    -삼
    -이!
    -일!!!
  그 카운트 다운에 맞춰 저 위에 보름달이 떠올랐다. 보름달 아래에서
불이 타는 모습이 왜 이렇게 빠져드는지 멍하니 바라만 봤다. 또 들리는
진행자의 목소리. 지금은 소원을 비는 시간인가 보다. 원래 신이나
미신을 잘 믿지 않았던 나지만 저 보름달에 이 소원을 빌면 꼭 이루어질
거 같아 간절히 빌었다.

"제 옆에 있는 남자가 꼭 행복하도록 해주세요."

  그렇게 축제가 끝나고 또다시 기차를 탔다. 그 사람은 그때처럼 여전히

창밖을 바라보고 있었다. 전보다는 어느 정도 친해진 거 같아서 말을 걸었다.

-이번 축제 저는 되게 재밌었는데 어땠어요?

라는 물음에

-저도 재밌었어요.

라고 그 남자가 답해왔다. 재미있었다니. 처음으로 긍정적인 말을 해줘서 너무 기뻤다! 하지만 짧은 대화가 끝나자마자 다시 어두운 창밖을 보는 그 남자를 보고 이때다 싶어 다급히 말했다.

-저희 날씨 풀리면 피크닉 할래요?

이때가 아니면 또 며칠을 고민하다 이야기를 꺼낼 거 같았다.

-그럼, 저희 번호 교환할까요?

-네?!

예상치 못한 답이 나와 난 내 감정을 주체 하지 못하고 큰 소리로 놀라버렸다. 그러고는 이 기회가 사라져 버릴까 봐 난 다급히 말했다.

-좋아요!

☐ 놀이공원 가기

☑ ~~바닷가 가기~~

☑ ~~축제 보기~~

☑ ~~전시회 보기~~

☐ 피크닉 하기

☐ 방 꾸미기

☐ 해외여행 가기

벌써 3월이 다가오고 날이 풀리기 시작한다. 그래도 옆집인데 한 번 정도 마주칠 수 있는 거 아닌가? 라는 의문이 들 정도로 이때 동안 출퇴근을 하면서 마주친 적이 없다. 그냥 추울 때 피크닉 가자고 할 걸 그랬나 라는 생각이 들 때 모태 솔로 연애 박사에게 연락이 왔다.

데이트했어?

          뭔 데이트야

그래서 함?

          ....하긴 했지

드디어 연애?

          지는 모태 솔로이면서 웃겨

..ㅎㅎ 사진 없어?

라는 모태솔로 친구의 말에 괜히 갤러리를 뒤적거려보지만 역시나 없었다. 사진 좀 찍어 둘 걸 그랬나. 친구와의 대화가 끝나고 새벽 1시. 딱 야식 타임으로 적절한 시간이다. 난 순면 바지에 분홍 슬리퍼를 신은 뒤 날 기다리고 있는 맛있는 음식들을 위해 편의점으로 갔다.
　나에게 인사를 건네는 아르바이트생을 보니.
　-어?
　-어?!
　그 남자였다. 알고 보니 이사 준비를 시작해야 하는 데 경제적으로 한계가 있어서 야간시간에라도 알바하는 것이라 했다. 이제 일도 한다는 것에 기특하기까지 했으나 정신 차리고 보니 나의 순면 바지와 발가락이 너무나 부끄러워 다급히 먹고 싶은 거를 담고 집으로 갔다.
　일까지 하는 모습에 이 정도면 내 목표가 성립된 게 아닌가 싶지만 왜인지 아직 지워지지 않은 내 계획들이 아까워 마저 계속하려고 한다.
　그렇게 한 주가 지나고 또다시 한 주가 지나고를 반복하다 따사로운 봄이 됐다. 그 남자가 이제 일을 시작해서 그런가 지나가다가 몇 번 마주치기도 했지만, 항상 죄지은 듯이 짧은 인사를 나누고 도망간 터라 긴 대화를 나누지는 못했다.

　그렇게 피크닉 당일이 오고 나는 체크 셔츠 안에 하얀 민소매를 입고 통이 넓은 청바지를 입었다. 나름 빈티지스러운 느낌을 내보려고 했지만 역시나 내가 입으니 촌스러운 거 같기도 하다. 이제 그 남자가 나오기만을 기다리면 된다!

-저, 많이 기다리셨어요?

라고, 물으며 나온 남자의 패션은 정말 최악 중에서 최악이었다. 어린 시절 입고 안 버린 거 같은 짧은 바지 기장에 안 어울리는 코트. 차라리 축제 보러 갔을 때처럼 입는 게 훨씬 나았다.

-준비 다 끝내신 거예요?

-네.... 별로인가요?

라는 물음에 나도 모르게

-네.

라고, 대답했다. 조금은 시무룩해 보였지만 같이 다니기에는 너무 부끄러웠기에 실례를 무릅쓰고 집 안으로 들어갔다. 옷장이 있을 법한 방에 들어가니 옷걸이에 걸려져 있는 몇 없는 옷들이 보였다.

-이거 말고 다른 거 없어요?

-네, 그게 다예요.

라는 말을 들으니 저절로 한숨이 나왔다. 많은 무채색 중에 청바지가 보여 뭐냐고 묻자, 아르바이트 면접 볼 때 사둔 거라고 한다. 무슨 아르바이트 면접 본다고 청바지를 사는지. 정말 웃긴 남자다. 옷을 계속 뒤적거려도 손만 아플 뿐 도저히 입힐 옷이 없어서 하얀 티에 청바지를 입고 나오라고 했다. 방문 밖에서 어쩔 줄 몰라 하는 그 남자에게 옷을 던져주고 그 남자는 옷을 갈아입으러 화장실로 갔다. 내 계획에 같이 쇼핑하기도 넣어야겠다.

- ☐ 놀이공원 가기
- ☑ ~~바닷가 가기~~
- ☑ ~~축제 보기~~
- ☑ ~~전시회 보기~~
- ☐ 피크닉 하기

☐ 방 꾸미기

☐ 해외여행 가기

☐ 같이 쇼핑 하기

그사이에 난 방 안을 둘러보았다. 책상에 엎드려 있는 액자를 세워보니 해맑게 웃는 그 남자의 어린 시절이 담겨 있었다. 갑자기 첫 만남이 떠올라 마음이 슬퍼졌다. 이렇게 웃던 아이가 죽으려고 하다니. 그 남자의 행복을 바라는 난 또다시 그 남자가 불행해진다면 너무나 서글플 거 같다는 생각까지도 했다. 그런 마음을 움켜쥐고 있던 도중 그 남자가 화장실에서 나왔고 하얀 티를 바지 안에 넣으라고 말한 뒤 피크닉을 하러 떠났다. 여전히 말이 없는 그 남자였지만 표정을 보니 나름의 기대에 찬 거 같아 나까지 오늘 하루가 기대된다.

길거리에서 파는 은박지 돗자리를 산 뒤 떡볶이를 시켰다. 그 남자가 아무 음식이나 상관없다는 말에 짜증이 몰려올 뻔했지만 요새 유행하는 마라로제 떡볶이가 보여 시켰다. 그때 동안 비눗방울을 부는 아이들도 보고 엄청나게 큰 강아지들도 보고 같이 낮잠을 자는 부부까지도 보며 결혼하고 싶다고 생각했다. 만약 정말 만약에 내 옆에 있는 이 남자와 결혼한다면…. 이 아이라 내가 왜 이런 상상을 하는 건지 도무지 이해가 안 간다. 허. 참. 무슨. 당황스러움에 급히 그 남자에게 말을 꺼냈다.
-이사 준비는 다 되어가요?
-네, 어느 정도는요.
아 그래. 이사를 하면 집도 못 꾸며줄 텐데 이사 갈 집 주소라도 물어볼까 하는 마음에 말했다.
-이사 가면 주소 알려주세요. 제가 집 이쁘게 꾸며드릴게요.
-아, 네.
라고, 짧게 대답하는 그 남자를 보니 아마 집 꾸미기 계획은 실패할 거 같다. 그렇게 또 어색하게 시간만 보내려 하다가 큰 카메라를 든 아저씨가 우리 앞으로 다가와 말했다.
-조금 더 붙어서 앉아봐!
-네?
당황스러움에 되물으려던 찰나에 그 남자가 내 쪽으로 다가와 가까이 앉았다. 뭐야 이거 지금. 뭐 하자는 거야? 라는 당황스러움이 가득한 얼굴로 찍힌 사진을 보니 웃음만 나왔다. 감사하다는 인사를 하자 사진을 찍어준 아저씨는 다른 사람들을 찍어주러 가고 그 남자는 같이 찍은 사진을 하염없이 바라보고 있었다. 그런 모습에 나도 다시 사진을 보며 즐겨찾기를 눌렀다. 얼마 안 가 떡볶이가 오고 매운 걸 못 먹던 난 혼자서 서비스로 온 음료수를 다 먹었지만, 그 남자는 싫은 내색 없이 잘 먹었다. 아직 3월인 터라 해가 빨리 가버렸고, 초승달이 떠올랐다.
 -해가 벌써 가버렸네요.
 라는 나의 말에
 -해는 져 문다는 표현을 쓰지 않아요?
 라고, 대답하는 그에게 나는 이렇게 표현한다고 차분히 말하면서도 그 상황이 나름 웃겼다.

 초승달을 보니 그때 그 축제가 떠올랐고 문득 그 남자의 소원이 궁금했다.
 -혹시 축제 때 소원 뭐 비셨어요?
 -저요?
 라며 나의 물음에 뜸을 들이던 그 남자는
 -제 옆집 여자 행복하게 해달라고 빌었어요.
 라고, 답했다. 옆집 여자...!! 그 옆 집 여자가 나라는 걸 깨달은 순간 심장은 미친 듯이 뛰었고 머릿속으로 같은 소원을 빌었다는 놀라움과 나의 행복을 빌어줬다는 설렘이 가득했다. 이 남자라면 정말 결혼해도 괜찮지 않을까 하는 마음에 말했다.
 -저희 사귈래요?

그 남자

 드디어 피크닉 당일이 왔다. 대충 멋을 내려고 재킷도 걸치고 했지만, 그 여자 눈에는 별로였나 보다. 몇 없는 나의 옷들을 둘러보더니 나에게 옷을 던지고는 갈아입으란다. 확실히 좀 작았던 바지를 입다가 통이 넓은 바지를 입으니 편하다. 오늘도 이 여자와 함께라면 즐거울 것만 같다. 어린아이들이 비눗방울을 불고 있는 것도 보고 꼬리 치며 인사하는 강아지들도 봤다. 시간 가는 줄도 모르고 보고 있다가 그 여자가 나의 이사에 관해 묻는다. 그러고는 집을 꾸며줄 테니 초대해달라는 말까지 덧붙였다. 꾸미는 것에 별 관심 없던 난 대충 대답하고 대화를 끝내버렸다. 다시 말을 꺼내볼까? 하려던 찰나에 어떤 아저씨가 카메라를 들고는 가까이 앉으라고 한다. 그 여자를 보니 당황한 듯 거절하려고 하는 거 같았다. 재빨리 그 여자 옆으로 다가가 앉은 채 사진을 찍었다. 그렇게 아저씨에게 받은 사진 속 난 즐거워 보였다. 그 모습을 보자 누가 심장을 주먹으로 세게 때리는 것만 같았다. 이렇게 즐거울 때 왜 또 아픈 건지. 신은 여전히 나의 불행을 바라는 것일까.

그 여자가 시킨 떡볶이를 먹고 어느새 떠오른 초승달을 바라보고 있었다.

-해가 벌써 가버렸네요.

라는 그 여자 말에

-해는 져 문다는 표현을 쓰지 않아요?

답했다. 그러자 그 여자는 해가 저물 때 인사하며 가는 거 같다는 이해 못 할 말로 나에게 설명하는 그 여자를 보니 조금은 귀여웠다. 그렇게 또다시 초승달을 보고 있었다. 달을 보니 이 여자는 그때 무슨 소원을 빌었을지 하는 궁금증이 생겼다.

-혹시 축제 때 소원 뭐 비셨어요?

라고 그 여자가 물었다. 같은 생각을 했다는 놀라움에 멈칫했지만, 곧바로 그 여자에게 내 마음을 보여주듯

-제 옆집 여자 행복하게 해달라고 빌었어요.

라고, 말했다. 지금 내가 무슨 말을 하는 것인지 머리가 어지러웠다.

-저희 사귈래요?

급기야 그 여자가 답한 말을 들으니, 머리가 더 어지러워지는 것과 동시에 심장이 미친 듯이 뛰었다. 제발 깜빡이 좀 켜고 들어왔으면 좋겠다. 하지만 혹시나 이 기회가 사라져 버릴까.

-좋아요.

라고, 답했다.

그 여자

우와.... 내가 연애를 한다니. 불행한 그가 그 남자가 되고 이제는 내 남자 친구까지 되었다. 이게 무슨 일인가.... 남자 친구가 되었다는 사실에 갑자기 궁금한 점들이 생겨났다. 이름은 뭐고, 나이는 뭔지. 기차에서 전화번호를 저장할 때 이름을 물어보기에 민망해 그 남자라고 저장했었다. 이제 그 저장된 이름을 바꾸어야겠지.
 -혹시 이름이...?
 -네? 제 이름도 모르고 계셨어요?
 라고 황당하다는 듯 묻는 그에게 답했다.
 -당연히 안 알려주셨으니까요. 그쪽도 제 이름 모르지 않아요?
 -지현 아니에요?
 라는 말에 놀라 어떻게 아냐고 물었다. 그러자 그 남자는 첫 만남 때 생일 케이크에 적힌 문구를 보고 알았다고 한다. 아, 갑작스레 그때의 기억이 떠올라 또다시 부끄러워지기 시작한다. 이 기세를 이어 나이까지 물었고 두 살 아래인 동생인 걸 알고 깜짝 놀랐다.
 -네?! 27살이요?
 -네....
 남자 친구가 놀란 내 반응에 민망한지 작은 목소리로 대답했다. 그걸 본 난 짓궂게 장난을 쳤다.
 -이 누나와 하고 싶은 거 없어?
 -왜 갑자기 반말을...?
 -누나인데 뭐 어때~
 라는 말에 납득을 하는 남자 친구를 보고 조금은 귀여워 보였다.
 -저 놀이공원 가고 싶어요.
 놀이공원이라. 내가 가자고 했다가 대차게 까였었다. 하지만 이제는 남자 친구가 가자고 하다니!
 -뭐야. 싫은데.
 -네? 왜요?
 라고, 다급하게 서운함이 가득한 눈을 날 쳐다본다. 이 모습이 귀여워 오래 보고 싶었다.
 -네가 그때 싫다고 엄청나게 화냈잖아. 근데 나보고 같이 가달라고?
 하며 삐진 듯이 묻자.
 -그때는....

이라고 애써 해명하는 남자 친구한테 여름에 같이 가자고 했다. 그러자 또다시 좋다고 해맑게 웃는 남자 친구를 보니 불행했던 그는 온데간데없이 사라진 것만 같아서 행복했다. 이젠 남자 친구가 나를 행복하게 만들어 주는구나.

집에 가자마자 생각나는 사람이 있었다. 바로 그 모태 솔로 친구. 그 친구에 바로 연락했다.

남자 친구 생김

??? 데이트 걔?

응.ㅎㅎ

뭐야 좋아하는 거 맞았네

아닌 줄 알았는데 그렇더라고~

이런 식의 대화를 나눈 뒤. 남자 친구 생겼다는 것에 실감이 들었다. 이번에는 그 남자와 함께라면 행복한 연애를 할 수 있을 거 같은 기대감이 든다.

그 남자

내가 연애라니. 나 같은 게 누군가를 행복하게 할 수 있을까. 즐길 거 다 즐겨놓고 또다시 불안해하는 나 자신이 극도로 미웠다. 하지만.... 이 여자라면 내 삶이 조금은 괜찮아지지 않을까? 나도 행복할 수 있을까. 아니야.... 내가 행복해도 되긴 한 걸까. 그런 불안 속에 빠지려고 할 때 여자 친구가 구해주었다.
 -혹시 이름이...?
 이때까지 내 이름도 몰랐다는 사실에 적잖게 놀랐다.
 -네? 제 이름도 모르고 계셨어요?
 라고 황당하다는 듯 묻는 그에게 답했다.
 -당연히 안 알려주셨으니까요. 그쪽도 제 이름 모르지 않아요?
 -지현 아니에요?
 라고, 말하자 놀라는 반응에 이름을 알게 된 이유를 말해주었다. 그러자 첫 만남 때가 생각난 듯 여자 친구는 애써 딴청을 피웠다. 그렇게 여자 친구의 나이까지 알게 되었다. 29살. 나보다 두 살 연상이었다. 여자 친구는 내가 연하라는 사실에 많이 놀랐는지 동그란 눈을 크게 뜨고 날 바라봤다. 그 모습이 조금은 민망했다. 두 살 연상이면 지현 누나라고 불러야 하나? 라고, 고민하던 찰나에 누나가 말을 걸어왔다.
 -이 누나와 하고 싶은 거 없어?
 라며 반말하는 모습에 당황해 물었다.
 -왜 갑자기 반말을...?
 -누나인데 뭐 어때~
 라고, 대답하는 누나의 말이 맞는 거 같아 납득을 해버렸다. 그러고는 내가 하고 싶은 것을 말했다.
 -저 놀이공원 가고 싶어요.
 그렇다. 누나가 놀이공원을 가자고 했을 때 내가 싫다며 화를 내었다. 그 때문이었을까. 꼭 누나랑 놀이공원을 가고 싶었다.
 -뭐야. 싫은데.
 라는 말에 당황해 물었다.
 -네? 왜요?
 라고, 말하며 그때 그냥 갈 걸이라는 후회가 스쳐 지나간다. 누나의 짓궂은 장난을 멈추려 애써 해명했다. 그러자 누나는 활짝 웃으며 내게 여름에 가자고 말했다. 웃는 모습이 누나 뒤에 있는 벚꽃 나무와 어울려 나에게 행복한 기억이 되었다.

 누나는 회사 일로 나는 아르바이트로 서로 바빠져 이번 봄에는 잘 만나지 못했지만. 가끔가다 내가 누나의 집을 가거나 같이 밤 산책을 하며 보고 싶은 마음을 달랬다. 오늘도 어김없이 누나의 집을 갔다. 거의 모든 가구가 하얀색인 데다가 눈에 띄는 소품들을 배치해 집 안이 밝아 보였다. 서로 배달 음식으로 돈을 많이 쓰던 터라 어느 순간 집밥을 해먹자며 요리를 하기 시작했다. 오늘은 내가 김치볶음밥을 해줬다. 아직 요리 실력이 미숙해서 이런 음식밖에 못 하지만 누나는 머리카락을 높게 묶고는 곧잘 먹는 모습이 보기 좋았다. 그 모습을 보고 안심하며 나도 밥을 먹으려 했지만 기름이 가득해 보이는 김치볶음밥을 도저히 목구멍으로 넘길 수 없었다. 나를 위해 애써 먹어주는 누나가 고마웠다. 언젠가 누나를 위해서 요리 학원도 다녀야지.

　누나는 세수하러 화장실에 들어갔고 침대 머리맡 쪽에 켜져 있는 노트북이 보였다. 호기심에 노트북 속 긴 글들을 읽어보니 나와 있었던 일을 적은 것이었다. 일기라고 하기엔 몇 가지 없던 일이 적혀있고 있었던 일이 안 적혀 있고 책 속에 나올 법한 단어 선택을 보아 소설이라는 것을 알 수 있었다. 소설을 쓰는 누나라니. 누나가 전보다 더 멋져보였다. 스크롤을 내리며 글을 천천히 읽어보자 누나가 날 '불행한 그' 라고 칭한 것이 보였다. 불행.... 부정할 수 없는 부분이었다. 하지만 나의 첫인상이 불행한 그였다는 것이 조금은 섭섭했다. 하지만 점점 불행한 그에서 그 남자로 변하고 남자 친구로 변한 것을 보니 섭섭한 마음은 사라졌다. 글을 천천히 읽어보니 나는 지난 아픔들을 다 잊고 뭐든지 다 할 수 있을 거 같은 사람처럼 되어있다는 것을 알았다. 현실에 나도 그런지 생각을 해보았지만 그렇다고 대답할 수가 없었다. 내 지난 아픔들이 다시금 떠올랐고 또다시 숨이 조여오고 머리가 아프고 심장을 때리는 듯한 고통이 느껴졌다. 또다시 시작되는 고통에 나도 모르게 자해하던 내 손목을 봤다. 누나를 만나고 자해하는 횟수가 확연히 줄었다. 옅은 갈색을 띄는 자해 흉터가 행복한 날 다시 고통 속으로 내던지는거 같다. 항상 이럴 때 난 그 고통에 대응하듯 자해했지만 그렇다고 여기서 하기에는....
　-뭐야 노트북 보고 있었어?
　라고, 말하는 누나 덕에 얼른 소매로 자해 자국을 가리고 정신을 차렸다. 그렇다고 대답하자 어떠냐고 내심 기대하는 표정으로 묻는 누나를 보니 방금 했던 생각은 사라졌다.
　-괜찮은 거 같아요. 제목은 뭐에요?
　라고 묻자, 누나는.
　-제목은 아직 안 정했어. 넌 뭐로 하면 좋겠어?
　미정이라....
　-보름달의 불행 어때요?
　그냥 떠올랐다. 보름달 아래에서 빈 소원으로 우리가 행복해졌지만....

불행은... 잘 모르겠다. 누나는 나에게 작명 센스가 좋다며 부담스러울 정도로 칭찬했다. 항상 나에게 맞춰주고 나의 고개를 들게 만든 누나였지만 정말 날 사랑해서 하는 것인지, 행복하게 해줘야 한다는 책임감 때문에 그런지 이 글을 읽고 나니 구별이 안 되었다.

그 여자

 씻고 나오니 남자 친구가 노트북을 보고 있어 당황스러웠다. 그 안에 남자 친구와의 만남을 바탕으로 쓴 소설이 있었기 때문이다. 반응을 살피며 말을 거니 꽤 나쁘지 않은 반응이 나와 한시름 놓였다. 제목이 뭐냐고 묻는 남자 친구에게 답했다.
 -제목 아직 안 정했어. 넌 뭐로 하면 좋겠어?
 -보름달의 불행 어때요?
 보름달이 제목으로 들어간 것이 이해가 되었으나 불행이 왜 나오는지 이해가 안 갔다. 마치 우리의 이야기가 담긴 소설의 끝을 슬픈 결말로 단정 지어 현실 속 우리까지도 그런 끝일까 불안이 몰려왔다. 하지만 곰곰이 생각하다 말한 남자 친구에게 다른 것으로 바꾸자고 도저히 말할 수 없어서 좋다고 했다. 나의 대답에 좋아하는 남자 친구를 보니 남자 친구를 향한 내 마음도 깊숙이 파고들었다.

 -오랜만에 밤 산책 하지 않을래?
 어두운 밤하늘을 보니 남자 친구와 첫밤산책을 하던 때가 떠올라 물었다. 남자 친구는 좋죠라는 말과 함께 내 외투를 챙겨주고는 현관문으로 갔다. 어느새 그때 그 공원에 도착했다. 그때 일을 즐겁게 회상하고 싶었지만 남자 친구의 자살과 관련되어서 쉽게 입 밖으로 꺼내지는 못했다. 언젠가는 그때의 날들을 그땐 그랬었느냐고 하며 흘려보낼 수 있기를.

 -뭐야, 너 왜 여기 있냐?
 대학생 정도로 보이는 남성들이 지나가다 내 남자 친구에게 말을 걸었다.

-나 집이 이 근처라 산책하러 나왔지.

하며 웃는 남자 친구 모습이 조금은 달라 보였다.

-옆에는...?

라는 친구들의 질문에 나도 모르게 긴장하며 남자 친구의 대답을 기다렸다.

-보면 딱 모르냐? 여자 친구잖아 인마.

하고 장난치는 남자 친구 모습. 내가 기대한 대답이었지만 따뜻한 봄에서 여름으로 넘어갈 때까지 사귀는 동안 친구 이야기를 꺼내지 않던 남자 친구였기에 그런 친근한 모습이 의아했다.

-친구야?

그 사람들이 지나가고 나서 물었다.

-그냥 아는 사람들이에요.

그냥 아는 사람이라는 말에 비해 엄청 친해 보였다. 그렇게 친근하게 대하면서 아는 사람들이라니. 난 남자 친구에게 정말 여자 친구라는 존재인지 불안감이 들었다.

제3화 또, 다시

그 여자

따스한 봄에서 뜨거운 여름으로 계절이 바뀌었다. 남자 친구와는 별 탈 없이 지내왔지만,, 그 때 든 불안감은 도저히 지울 수 없었다. 남자 친구의 이사는 미뤄져 이번 달 까지는 같이 있을 수 있었다.
-이제 7월인데 슬슬 놀이공원 가도 되지 않을까요?
라고 남자 친구가 물었다.
-그렇지. 근데 이 나이에 놀이공원 가도 되려나....
하고 걱정하니 남자 친구는 꼭 가자며 졸랐다.

다음 날 나는 아껴두었던 연차를 썼다.
-환상의 나라로 오세요.~
 용인에 있는 놀이공원이다. 초등학교 3학년 때 아람단으로 갔던 거
빼고는 처음 가는 거라 나이에 안 맞게 심장이 설렜다. 티켓을 끊고 나니
남자 친구는 머리띠부터 하자며 소품샵으로 갔다. 난 정말 안 하려고
했다.
-누나 완전 동안이에요! 30대로 절대 안 보임. 진짜. 한 번만 같이 써요~
-나 아직 30대 아이다.
-실수. 실수. 제발 딱 한 번만!
 없던 어리광은 도대체 어디서 나오는 건지 어린애나 다름없어 보였다.
결국 여우 머리띠를 같이 쓴 채 놀이기구를 2시간 동안 기다렸다. 교통비
하며 티켓값 하며 여기까지 오는 데 돈을 얼마나 썼는데 놀이기구 하나
타려고 2시간 동안 기다려야 하는지 한숨이 나왔다. 앱으로 대기 시간을
확인한 뒤 30분 정도가 지났을까. 드디어 우리의 차례가 왔다. 이제와서
말하지만, 난 놀이기구를 정말 못 탄다. 그저 남자 친구의 행복을 바래서
온 것뿐. 점점 놀이기구가 올라가고 있는 것이 느껴지고 어느덧 나뭇가지
정도 높이를 지나 푸른 하늘밖에 안 보였다. 점점 큰일이 날 것이
실감되었다. 난 무서움에 안전바를 꽉 잡은 순간. 순식간에 놀이기구가
떨어지고 돌아가고 올라가고 떨어졌다. 난 이를 꽉 깨물고 눈을 굳게
닫은 덕에 아무것도 보이지도 아무런 소리도 지르지 않은 채 바람이
가르는 것과 놀이기구가 돌아가며 내 엉덩이가 떠 있는 것 그리고
사람들의 비명을 들으며 마음속으로 놀이기구 탄 것을 엄청나게
후회하고 있었다. 체감상 1분 정도가 지났을까 드디어 놀이기구의
속도가 줄어들었고 난 그제야 눈을 떠 남자 친구를 봤다. 남자 친구는
광기 어린 눈으로 나를 보며 재밌었다며 말하고 있었다. 그렇게
놀이기구를 한두 개 더 탔을까? 아이스크림도 먹고 회오리 감자도
먹었다. 간식으로 배가 차기 전에 얼른 식당으로 들어가 밥도 먹었지만,
가격에 비해 맛이 별로여서 추천하고 싶은 곳은 아니었다. 어느덧 밤이
되어 해는 인사도 없이 가버렸다. 남자 친구와 길을 걷다 보니 사람들이
모여 있는 곳이 있었다. 퍼레이드를 하는 것이다. 거대한 마차와 불빛

나는 옷을 입은 직원들은 노래에 맞춰 춤을 추고 사람들을 향해 인사를 했다. 그것을 보니 초등학교 3학년 때가 기억나는 거 같았다. 퍼레이드까지 다 보고 근처 벤치에 같이 앉았다.

　내 바로 옆에 앉은 남자 친구는 목이 말랐는지 생수를 사와 마셨다. 물을 마시려 생수를 든 손목에는 얇은 소매가 올라가 붉은 자해 자국이 보였다. 분홍빛을 띠며 부어오른 것을 보아 자해를 한 지 얼마 안 된 거 같았다. 잊고 있었다. 남자 친구는 자살하려던 사람이었다는 것을. 그만큼 힘들었다는 것을. 난 나를 보며 해맑게 웃는 남자 친구 얼굴에 그 사실을 잊어버리고 있었다. 내가 곁에 있어도 행복하지 않다는 것인가? 내가 뭐가 부족한 것일까? 내가 뭘 해야 남자 친구가 행복할 수 있을까? 복잡한 물음표 속에 남자 친구에게 자연스레 답을 얻을 수 있는 질문을 생각했다.

　-행복하다. 이게 행복이지 않을까?

　혹시나 불안함 내 마음이 들킬까 오히려 더 당당하게 물어봤다.

　-갑자기요? 행복하다니 다행이네요.

　내가 원하지 않은 답변이었다.

　-넌 행복해?

　-저야 누나가 있으니까 행복하죠.

　원하는 대답이었으나 예의상 꾸며낸 듯한 답변같아서 이것 또한 마음에 들지 않았다. 정말 지금까지도 불행한 것일까? 내 노력이 부족한 것일까? 수많은 물음표들의 갈고리가 내 목을 조이는 듯했다. 점점 커지는 불안감에 다짜고짜 물었다.

　-너 이제 죽고 싶다는 생각 안 들어?

　그 말을 하자 내 목을 조이던 물음표들은 사라졌다.

　-그런 말을 갑자기 왜 해요?

　뜸을 들이며 말을 돌리는 남자 친구를 보자 답답해 화가 났다. 남자 친구가 지금 불행하다면 나 또한 행복할 수 없다. 남자 친구가 내 곁에 없다면 난 더 이상 살아갈 수 없다. 그런 생각에 정말 정신이 나가버릴 거 같았다. 이런 내 마음을 알아채 제발 그만 불행해지라고 말해주고 싶었다.

　-난.... 네가 불행하다면 정말 죽어버릴 것만 같아...!

그 남자

놀이공원에서 놀고 마감 시간 전까지 같이 벤치에 앉았다. 물을 마시며 아직 반짝거리는 놀이기구를 보고 있었다.
-행복하다. 이게 행복이지 않을까?
평소 누나가 잘 하지 않는 말을 해서 조금은 의아했다.
-갑자기요? 행복하다니 다행이네요.
누나가 행복하다니 조금은 마음이 놓였다. 혹시나 누나도 나도 같이 불행해지면 어쩌지라는 생각을 평소에 해왔기 때문이다.
-넌 행복해?
-저야 누나가 있으니까 행복하죠.
행복하냐는 누나의 대답에 재빨리 나도 대답했다. 내 진심이었다. 갑자기 왜 나의 행복을 확인하는 것일까 하며 생수 뚜껑을 닫았다. 뚜껑을 닫으려 손가락을 돌리자 내 자해 자국이 보였다. 행복해지고 싶다는 욕심에 비해 난 너무 한심했기에 얼마 전 그었던 자국이다.
-너 이제는 죽고 싶다는 생각 안 들어?
갑자기 이런 말을 할 누나가 아니었다. 내 자해 자국을 본 것일까 확인하고 싶었다.
-그런 말을 갑자기 왜 해요?
난 누나가 빨리 대답해 주기를 바랐다. 하지만 누나는 감정을 억누른 듯이 대답했다.
-난.... 네가 불행하다면 정말 죽어버릴 것만 같아...!
그렇게 누나는 코 끝과 눈가가 붉어지며 나에게 호소했다. 그런 누나의 모습과 죽는다는 말이 나에게는 너무 무서웠다. 혹시나 누나도 나처럼 힘들지 않을까. 혹시나 누나도 나처럼 자해를 하지 않을까. 혹시나 누나도 자살하려고 하지 않을까.
-누나 갑자기 그게 무슨 말이에요. 죽겠다는 그런 말 함부로 하지 마요.
-너부터 네 몸을 소중히 해....
또 봤구나. 자해를 더 안 보이는 쪽에 해야 했다. 또 누나를 걱정하게 만들었다.
-죄송해요. 다음부터 안 할게요.
라고 눈을 마주치며 차분히 말하자.
-내가 어떻게 하면 네가 행복할 수 있어? 나 네가 죽는다는 생각에 숨을 못 쉬겠어. 죽을 것만 같아.

라며 내 말을 듣지 않은 채 고개를 떨군 누나를 보자 주체 할 수 없는 불안에 화가 났다.

-누나 그런 말 하지 말라고요! 갑자기 왜 이래요? 누나는 정말 날 사랑하는 게 아니라 혼자만의 계획 속에 빠져있던 것이었어요?

아. 말을 끝내자마자 깨달았다. 행복하기를 바랐던 누나에게 상처를 줬다는 걸.

-아니 그게 아니라....

라고 다급히 누나의 어깨를 잡으며 말을 이어가려고 했지만 누나는 그런 날 보고 무섭다는 듯이 눈물을 흘리며 자리를 떠났다.

애초에 누나를 좋아하는 게 아니었다! 누나를 사랑하면 안 됐고 보름달 아래에서 누나의 행복을 빌면 안 됐다! 나만.... 나만 불행하면 됐잖아. 왜 누나까지.... 나 때문에 라는 생각에 치밀어 오르는 감정이 눈물로 흘러내렸다. 그날의 보름달이 미웠다.

옆집 여자

남자 친구. 아니. 이제 불행한 그는 이사를 갔다. 그렇게 나와도 이별했다. 일상생활을 제대로 할 수 없었다. 내가 있어서 행복하다는 불행한 그가 뱉은 말에 의지 한 채 지금도 죽고 싶은지. 죽으려고 또 다시 의자 위로 올라가는 것이 아닌지 머릿속이 복잡했다. 일이 손에 안 잡혀 상사에게는 전보다 더한 잔소리를 듣고 해고라는 협박까지 받았다. 여직원들도 나와 대화를 하려 다가오지 않았다. 친구들의 연락도 도저히 대답할 힘이 나지 않았다. 그렇게 알람이 쌓이고 점차 알람이 울리는 횟수가 줄어들었다. 자고 회사 가고 울고 집 안은 배달 음식이 쌓여갔고 그 음식마저도 다 먹지 못해 버리는 것이 반복되었다. 이런 내가 너무 비참해서 죽고 싶었다. 내가 죽으면 그 남자에게도 소식이 가지 않을까? 내 죽음에 슬퍼해 줄까? 아니야. 그 남자가 나 때문에 우는 것은 도저히 못 볼 거 같았다. 또다시 머리가 아파지는 나에게 말했다. 우리는 사랑하면 안 됐다고.

그렇게 마지막은 추웠던 여름이 지나고 외로운 가을이 왔다. 초점 없는 눈으로 시곗바늘 위치만을 확인 한 채 하루를 보냈다. 회사 일도 대인관계도 신경 쓸 겨를이 없다. 거울 속 비쩍 마른 내 모습이 흉측하게 짝이 없었다. 이런 내 모습에 분노가 가득해져 세면대를 붙잡고 울부짖었다. 불행한 그만이 내 곁에 있다면 난 누구보다 행복할 텐데 그때 불행한 그의 곁을 떠나는 게 아니었다.

손목을 그은 채 욕조에 물을 받았다. 난 더 이상 살아갈 이유도 죽어야 할 이유도 없다. 다만 불행한 그가 없이 살아가기에 너무 벅차다. 검은 피가 맺히는 손목을 보니 너무 서러웠다. 불행한 그와 다시 바닷가를 가고 전시회를 가고 보름달 아래에서 소원을 빌면 얼마나 좋을까. 그러자 노트북이 생각났다. 그걸 보면 조금이나마 내 마음을 달래 수 있지 않을까? 하며 젖은 몸을 이끌고 노트북의 전원을 켰다. 첫 만남, 바닷가, 보름달, 고백.... 우리의 추억들이 하나하나 담겨있었다. 이 추억이 조금이나마 왜곡 되는 것이 싫어 전에 소설의 재미를 위해 썼던 거짓된 부분을 다 사실로 수정했다. 그렇게 젖은 몸이 건조해지고 피가 굳어 갈 때 난 오늘날까지도 소설로 썼다. 내가 이때까지 썼던 소설 중에 제일 지우고 싶지 않은 소설이다. 이 소설을 불행한 그가 읽어주면 얼마나 좋을까. 이 소설을 출판하면 불행한 그도 이 소식을 알지 않을까. 출판이라는 단어가 떠오르자 바로 출판 할 준비를 시작했다. 불행한 그에게 이 소식이 닿이기 위해 여러 매체로 홍보를 했지만 조회수는 30조차 안 되었다. 강의도 듣고 여러 인기 인플루언서의 **SNS**를 보고 또 봤다. 하지만 도저히 어떤 것도 머릿속에 들어오지 않았다. 손톱을 물어뜯는 날만이 늘어가고 결국 난 꾸준함으로 승부를 보려고 했다. 홍보 영상을 올린지 30일이 되고 영상도 30개가 되었다. 그렇게 60개, 80개, 101 개쯤 될 때 조회수가 올라가고 내 책을 구매하는 사람들이 늘었다. 심지어 강의를 해달라는 요청도 들어오고 여러 서점에서도 내 책이 팔리기 시작했다. 이 정도면 그 남자도 이 책의 존재를 알 거다.

얼마 전 요청 된 강의 날이 다가오고 현장에서 대충 어떤 말씀을 드려야 할 지 고민하고 또 고민했다. 내 눈앞에 놓인 수많은 의자들이 날 더 긴장하게 만들었다.

어느새 들리는 또각또각 구두 소리가 내 앞에서 멈췄고 난 조심스레 앞을 봤다. 그러자 내 불행한 그이자 그 남자이자 남자 친구였던, 내가 그토록 사랑하는 유하가 내 앞에 와줬다. 그리고 유하는 내게 말했다.

-우리 다시 보름달 아래에서 소원 빌래요?

옅은 자해 자국을 남긴 채로.

작가의 말

　행복한 생일을 보낸 지현이와 그 생일날에 자살이 답이라며 죽으려던 유하. 이 둘의 감정이 섞인다면 행복의 감정과 불행의 감정이 어느 것이 더 빛을 낼까? 하고 시작된 저의 호기심이 이 책으로 끝이 났습니다.

　처음에는 행복한 감정은 그 순간을 나타내고 불행의 감정은 그 앞으로에도 깊숙히 존재한다는 생각이 들어 지현이와 유하가 서로를 사랑하기 때문에 서로에게 안긴 상처로 불행이 가득한 장면을 결말로 하려고 했습니다. 하지만 불행한 상황 속에서 정말 행복했던 기억은 사라지는 걸까 라고 생각해 봤을 때 그건 또 아니라고 생각이 들더군요. 지현이와 유하가 다시 만나는 장면을 결말로 남기며 여러분들의 생각이 녹여졌으면 하는 마음에 열린 결말로 설정했습니다.

　눈을 잘 못 마주치던 유하가 지현이가 웃으며 바라본 눈을 마주치고 먼저 용기를 내 전화번호를 교환하고 자기 행복을 불어넣어 준 지현이의 행복을 바라기까지도 하죠. 마찬가지로 지현이도 자신의 두려움으로 유하를 행복하게 하자는 다짐에 어느 순간 사랑이 담게 되었죠. 이것으로 제가 생각하는 행복을 담아봤습니다. 서로의 행복을 빌어주는 것 자체로도 행복의 정의라고 볼 수 있다는 생각이 들었기 때문입니다.
　하지만 나아지지 않은 유하의 불행은 결국 지현이에게 전달이 되고 지현이는 유하처럼 자신을 낮추기를 시작합니다. 이 모습으로 불행이라는 감정은 잠깐에 감정이 아닌 것을 넘어 전달된다는 저의 생각을 담아봤습니다.

　저의 사소한 호기심으로 시작된 첫 소설입니다. 이 책을 통해 저의 소망이자 버킷리스트가 이루어졌습니다.

　처음으로 도전하는 저의 첫 출판이기에 글을 쓰는 과정에서 저의 실수로

글이 날아가고 엉뚱한 곳에서 글을 수정하고 시행착오들이 많아 포기해야 하나라는 생각도 들더군요. 하지만 지금 안 하면 나중에도 못할 거 같기에 계속 도전했습니다. 낯선 도전에 아주 힘들었지만, 막상 출판한다는 사실에 나름 뿌듯함이 몰려왔습니다. 그 도전을 통해서 하고 싶은 걸 시작하면 그만 둬야 하느냐는 포기가 들지는 몰라도 도전했다는 사실에는 후회가 안 되더라고요. 그러므로 저의 소망으로 시작된 이 책이 여러분들에게 하고 싶은 걸 도전하는 용기가 되었으면 좋겠습니다.

저의 책을 택해주시고 읽어주셔서 감사합니다. 여러분들의 행복은 영원하고 또다시 시작되기를 바랍니다.